NOMADES

NOMADES

éditions fides

MUSÉE DE LA CIVILISATION

Données de catalogage avant publication (Canada)

Vedette principale au titre :

Nomades

(Collection Voir et Savoir)

Publ. en collab. avec : Musée de la civilisation (Québec).

« Cet ouvrage a été réalisé dans le cadre de l'exposition Nomades, présentée au Musée de la civilisation du 25 novembre 1992 au 14 novembre 1993. »--Verso de p. de t.

Comprend des réf. bibliogr.

ISBN 1-7621-1629-5 – ISBN 2-551-13003-4 (Musée de la civilisation)

1. Nomades. 2. Lapons. 3. Bororo (Peuple d'Afrique). 4. Montagnais (Indiens). 5. Touareg. I. Dufour, Marie, 1959   . II. Gendreau, Andrée, 1943-   . III. Musée de la civilisation (Québec). IV. Collection.

GN387.N65 1992   305.9'0693   C92-097361-2

Cet ouvrage a été réalisé dans le cadre de l'exposition Nomades, présentée au Musée de la civilisation du 25 novembre 1992 au 14 novembre 1993. Chargé de projet : François Tremblay.

Le Musée de la civilisation remercie les concessionnaires **Toyota** de la région de Québec pour leur collaboration financière et promotionnelle à l'exposition Nomades.

COORDINATION
Andrée Gendreau

RÉDACTION
Marie Dufour, Andrée Gendreau

ÉQUIPE SCIENTIFIQUE
Hélène Boivin, Institut culturel éducatif montagnais, Québec
Albert Ferral, ex-directeur du Musée national de Niamey, Niger
Serguei Illiouchenko, Musée ethnographique d'État des peuples, Russie
Leif Pareli, Norsk Folkemuseum, Norvège
Marie-Laure Pilette, chercheure, Québec

RÉVISION LINGUISTIQUE
Gaétan Boily

CONCEPTION GRAPHIQUE
Norman Dupuis

ÉDITION-CONSEIL ET INFOGRAPHIE
Les Communications Science-Impact

TRADUCTION
Catherine Coquet

RECHERCHE ICONOGRAPHIQUE
Micheline Huard

PHOTO DE LA COUVERTURE
Alain Saint-Hilaire

ISBN 2-7621-1629-5 – Éditions Fides
ISBN 2-551-13003-4 – Musée de la civilisation, Québec
Dépôt légal – 4ᵉ trimestre 1992
Bibliothèque nationale du Québec
Bibliothèque nationale du Canada

Le Musée de la civilisation est une société d'État subventionnée par le ministère des Affaires culturelles du Québec.

Table des matières

Avant-propos

Les nomades. Sujet captivant certes, mais combien fugace, mobile, difficile à saisir. Ses contours indéfinis stimulent autant l'imaginaire que la connaissance. Traiter du nomadisme présentait donc un nouveau défi pour le Musée de la civilisation tant pour l'exposition qu'accompagne cet ouvrage que pour celui-ci.

S'il se veut populaire, un livre, autant qu'un musée, doit marier le plaisir d'apprendre avec l'appel vers l'ailleurs. Un ouvrage sur le nomadisme doit donc faire une large part à la poésie des espaces et des lieux, à l'âme des peuples représentés, comme à la réalité concrète, à la trivialité de défis quotidiens. Il se doit aussi, au nom d'un équilibre qu'exige la difficulté du sujet, de nourrir le lecteur d'une information rigoureuse, faite de données, de faits, et de rectifier, le cas échéant, certains préjugés tenaces.

La littérature des nomades est moins abondante, en tous cas plus discrète, que la littérature sur le nomadisme. Cet ouvrage reflète cette situation : au témoignage d'une jeune montagnaise ayant dans son enfance pratiqué le nomadisme saisonnier, s'ajoutent les propos de muséologues, anthropologues et écrivains.

Pour la plus grande part, ce livre est donc un regard posé sur les nomades, leurs cultures, leurs problèmes, regard du dehors même si les auteurs ont partagé, le temps de l'observation, la vie de ces « voyageurs naturels ».

Les visions qu'il traduit sont donc multiples et différenciées. Un écrivain, aussi architecte et sculpteur, dont les œuvres ont déjà habitué un large public à sublimer d'autres grands faits de civilisation, ouvre la marche avec un texte d'où surgissent désirs, images et rythmes communs au vaste monde des nomades.

La suite se veut plus spécifique. Elle fait état de différentes communautés nomades, chacune selon un point de vue précis, historique, ethnologique ou politique, et propose enfin une courte synthèse.

La réalisation de l'exposition et de l'ouvrage a permis la rencontre de plusieurs cultures, suscité bien des discussions, des comparaisons, des étonnements, des rapprochements. Ceux-ci, espérons-le, auront permis le temps d'une visite et d'une lecture, pour plus longtemps peut-être, à l'esprit nomade qui sommeille au fond des sédentaires que nous sommes, de partager par la pensée cette mouvance qui a nourri, à un moment ou à un autre de leur histoire, un si grand nombre de peuples, de cultures, de civilisations que nos collaborateurs de Norvège, du Kazakhstan, de Russie, du Niger et d'ici connaissent bien. Qu'ils soient ici remerciés de leurs témoignages et de leur précieuse collaboration.

Roland Arpin

Directeur général
Musée de la civilisation

Introduction

LES BUISSONS GRIS DE LA PLAINE

En ce temps-là, l'Écriture dit : « Lorsque les choses n'étaient pas encore nommées », les hommes inventèrent les dieux. En remerciement et récompense, les dieux leur offrirent les mythes — afin de les aider à vivre, à passer le mieux possible ce tout petit minuscule espace de temps entre naissance et mort.

L'amour. Le bonheur. Le paradis, comme son contraire l'enfer... Mais il est d'autres mythes moins graves, comme celui qui m'a toujours fasciné, le voyage. La première condition de l'homme, disent les historiens.

Lorsque l'homme vivait en voyageant. Lorsqu'il était prédateur nomade. Lorsqu'il se déplaçait continuellement, ignorant d'un lieu qui lui eût appartenu (quelle idée étrange !). Que s'il retrouvait, par hasard, en passant, un endroit où il était déjà passé, c'est à peine s'il le reconnaissait. La végétation avait recouvert quelques tisons et la clairière ancienne s'était déplacée, elle aussi.

La vie est un mouvement. Ce mouvement « qui déplace les formes », que Pascal disait haïr, mais dont le mythe reste fascinant — comme celui d'un paradis perdu.

➤

Un paradis ? Songez à l'Amérique d'avant la ruée vers l'Ouest.

Depuis des millénaires, les hommes de la Plaine étaient des nomades. Ils chassaient le bison. Il y avait cent millions de bisons et un million d'hommes, telle était la comptabilité du monde. Pour tirer les travois et porter les peaux des tipis, il n'y avait que de gros chiens, féroces, pareils à des loups, et qui hurlaient. Les tipis étaient petits, bas, les chiens ne pouvaient porter que de petites charges.

Les hommes étaient nomades. Ils n'imaginaient pas une autre manière de vivre que celle-ci : poursuivre le troupeau de bisons. Lorsque l'année était pluvieuse, pourtant, ils étaient tentés de cultiver un peu de maïs, mais la sécheresse revenait vite et l'année suivante le bonheur recommençait. Le bonheur, c'est de poursuivre le troupeau de bisons.

Alors arriva le cheval.

Les hommes de la Plaine, Apaches, Cheyennes, volent le cheval aux Espagnols et le cheval andalou s'échappe dans la nature, il redevient nomade, et les hommes nomades se transforment radicalement. Les tentes sont plus grandes, les travois sont énormes. La roue. Le cheval, c'est la roue ? Peut-être, sûrement. Et chaque année, deux à trois mille kilomètres seront franchis, à la poursuite des bisons, par les hommes de la Plaine.

La vie est un mouvement.

Plus au nord, dans les forêts que l'on ne peut parcourir qu'en canot, sur les « rivières-qui-marchent », d'autres hommes s'arrêtent parfois pour établir un village. Ils sèment le maïs, eux aussi, mais la terre est bientôt épuisée. Les saisons se succèdent, elles apportent chacune sa nourriture, chair, poisson, et la vie s'organise ainsi, en mouvement de la rivière à la forêt, toujours en mouvement, toujours recommencée.

Alors arrivèrent les sédentaires.

Voici des hommes venus d'un autre continent où, semble-t-il, c'est ce qu'ils racontent, chacun ne voit que ce qui l'entoure et ne connaît que ce qu'il a vu, de chez lui, sans bouger, immobile. Certains d'entre eux n'étaient jamais sortis de leur village, avant d'oser sauter dans un navire afin de traverser l'océan. Ils recommencèrent ici, en Amérique, une installation sédentaire à laquelle ils étaient accoutumés depuis des millénaires, ils construisirent des villages et des villes avec de fortes murailles pour ne pas sortir, et qu'on ne puisse pas entrer. Pourtant, il y eut quelques exceptions, remarquables exceptions. On les appela les coureurs de bois. Il faut imaginer, et comprendre, l'incroyable exploit de ces hommes saisis soudain par une folie que l'on peut appeler l'esprit nomade. Une folie? Une poésie.

Le plaisir de fouler de neuves terres, de nager sur des eaux qui marchent et, qui sait, de trouver le passage qui conduit à une autre mer, à l'Ouest, de l'autre côté de laquelle se trouve sans doute un autre continent, et ainsi de suite? La découverte sans fin. C'est bien possible, et ces explorateurs vont ouvrir l'Amérique du Nord, du Centre, du Sud: des lacs de dix jours de long, des fleuves de six mois à naviguer, des montagnes si hautes et si longues qu'il faudrait une vie pour les traverser.

Beaucoup de ces voyageurs ne revinrent pas. Ils ne prirent même pas la peine de revenir pour raconter aux sédentaires les merveilles qu'ils avaient vues. Ils s'enfoncèrent dans les forêts et, saison après saison, adoptèrent la vie des « Indiens » nomades. On ne les revit jamais.

La vie est un mouvement.

Octavio Paz parle quelque part de « l'utopie américaine – mélange de trois rêves: celui de l'ascète, celui du marchand, celui de l'explorateur ». Ces trois rêves-là sont au cœur du nomade, et l'Amérique serait alors une cristallisation, l'ultime avatar du mythe nomade. Le dernier continent livré au nomadisme, jusqu'aux années seize cents, et la dernière occasion offerte aux immigrants d'obéir à cette très ancienne pulsion – qu'ils appelèrent tout de suite la liberté. Car ils savaient la signification des mots.

➤

Qu'est-ce donc que cette liberté ?

« Il faut être nomade, traverser les idées comme on traverse les pays et les villes, manger des perruches et des oiseaux-mouches, avaler des ouistitis vivants, sucer le sang des girafes, se nourrir de pieds de panthères ! » Ainsi écrit Francis Picabia, faisant appel à toutes les images exotiques qu'il trouve pour nourrir le mythe de l'ailleurs. Mais l'important me paraît être au début de la phrase, dans cette *traversée des idées*. Car la morale des peuples nomades, c'est une éthique. D'abord une contemplation, que je trouve amusant de comparer à celle des stylites afin de montrer combien les extrêmes se rejoignent dans le désir d'approcher l'éternel, l'intemporel, et d'accepter la condition précaire de l'homme. Siméon le stylite, en haut de sa colonne, pour toujours immobile, et d'un autre côté le pasteur kazakh traînant sa yourte, pour toujours en mouvement : même combat. Même pensée. Une manière de contempler l'éternité et de faire face au surnaturel. Fatalisme, déterminisme, stoïcisme. Pauvreté. Indifférence devant les biens de ce monde que peut détruire un orage, une colère de ciel. La richesse ne servirait qu'à assouvir des besoins immédiats, à produire des jouissances instantanées. Ceci risquerait de nous affadir, affaissés, amollis. Un animal qui se couche est un animal mort.

La vie est un mouvement.

Il y a la force inerte et la force mouvante. La pensée nomade croit que cette dernière pousse l'homme vers le plus loin, vers le plus haut : qu'elle vient de l'esprit. Qu'elle est la forme excellente de la liberté.

Souvenez-vous des anarchistes. Leur formule, c'est « bien être et liberté » et quelle serait la liberté de l'homme s'il était enraciné ?

➤

Le voyage est une marque nette, précise, claire, il différencie du reste des humains. Il engendre aussi l'adaptabilité : durant des siècles, le nomade a dû apprivoiser le temps et l'espace, il connaît la relativité de l'instant, et que jamais rien ne dure. Le nomade sait la vanité de la possession : il enterre volontiers ses morts avec tout leur bien autour d'eux, bijoux, vêtements, objets, armes.

Le voyage, c'est l'identité parfaite d'un groupe d'humains. C'est davantage la façon dont sont vécues les relations avec les membres du groupe, et avec les étrangers, que des habitudes vestimentaires, festives, culinaires, ou même que des croyances religieuses. Le nomadisme donne l'identité, l'égalité, la ressemblance. C'est le triomphe des familles, des clans, des bandes, du groupe. C'est le bonheur des chaleurs matricielles, le retour aux origines.

Et puis la société du nomade est une société du frugal. Par voie de conséquence, une société du moral. Elle a ses lois, ses règles, ses rites, qui lui permettent de survivre et de vivre même parmi les sédentaires et souvent en cachette d'eux. Pensez aux tsiganes.

➤

Ce sont des nomades de l'intérieur. Ils ont essaimé dans tous les pays, même l'Amérique. Ils vivent cachés, en secret, dans la clandestinité, tout en étant parfaitement visibles à qui veut les voir. Y aurait-il dans le mythe du nomadisme une notion de secret, jalouse, fière, indispensable au maintien de la morale du voyage ?

Voici un peuple, venu peut-être d'Inde, qui voyage en bandes depuis trente siècles au moins. On dit que des traces ont été trouvées qui datent de 1500 avant notre ère. Nomades avec femmes et enfants et, à leur tête un chef, duc, comte, capitaine, voïvode, suivant les vocabulaires de chaque « peuple » – et nos tentatives de traduction. Nomades avec des chevaux et des charrois.

Au Moyen Âge, ils arrivent dans une ville et l'on s'exclame de ces gens « qui gisoient ès champs comme des bestes »… C'est que l'on a perdu, en Occident, le souvenir du mythe nomade et des ancêtres vêtus de peaux, qui parcouraient le monde et n'avaient pas de maison. Le Moyen Âge noir a ainsi oublié beaucoup de choses que la Renaissance fera retrouver. Un chroniqueur note dans le registre de cette ville : « Merveille : venue d'estrangers du pais d'Egipte ». C'est qu'on les dit, parfois, Égyptiens. Mais le grand mot est jeté, même écrit : merveilles.

Que de merveilles, en effet, peut-on voir, si l'on regarde ces nomades, tsiganes, roms, romanichels, gitans, bohémiens… Ils portent avec eux mille légendes. On dit qu'ils ont introduit le métal en Occident, le bronze, et il semble que ce soit vrai. Des forgerons. La Bible en parle : « Dans la descendance de Caïn, Lamek prit deux femmes. L'une, Tsilla, enfanta Tubal-Caïn, il fut l'ancêtre de tous les forgerons… ». Ils viennent de Caïn, voyez-vous, il convient de se méfier…

On dit qu'ils ont dérobé le quatrième clou de la Croix (ils en avaient forgé quatre, sur ordre des Romains) et, pour cette raison, ils ont été condamnés à errer pendant quatre mille ans… Alors ils vivent de cent métiers, ramoneurs, puisatiers, mais rien, jamais, qui doive durer ne les intéresse. Tout passe, comme eux. Ils sont le rêve du sédentaire, et son antithèse.

On vient regarder bouche bée les tours de jonglerie de ces artistes, ces gens nomades, et les animaux qu'ils ont apprivoisés, dans des cirques (un mot ancien, qui fait image) montés ce soir et qui, demain matin, auront disparu. Comme les rêves…

La vie est un mouvement.

L'art qu'ils pratiquent le mieux, celui qui bouge, c'est la musique : c'est un art mouvant. Violons lancinants des tsiganes, guitares sèches du flamenco.

Jean Cocteau dit à Django Reinhart : « Tu as vécu comme on rêve de vivre, en roulotte. Et même lorsque ce n'était plus une roulotte, c'était encore une roulotte. » C'est que l'artiste, le poète, aperçoit tout de suite ce qui est merveilleux : cette mobilité. Le défi de ne jamais s'attacher. La liberté.

➤

« Fuir ! là-bas fuir ! Je sens que des oiseaux sont ivres D'être parmi l'écume inconnue et les cieux ! » écrit Mallarmé et tout est dit, il s'agit d'ivresse et d'écumes inconnues. Plus loin : « Mais, ô mon cœur, entends le chant des matelots ! » L'une des plus fortes cristallisations du voyage, c'est le bateau, c'est la mer, et les images se pressent en nous qui éveillent toutes les mythologies du voyage. Libéré soudain de tout attachement à un lien, oubliant le lieu, l'esprit de l'homme se met à rêver à la totalité de l'espace que, seul, le mouvement pourra saisir. La terre est tout entière à parcourir, par la mer. Une escale à chaque port – et une femme, l'image du marin volage ajoute au mythe du voyage le goût des fruits défendus – une bordée, et puis le nouveau départ. Si l'on y pense bien, c'est la transposition moderne de la razzia des grands nomades, Attila, Gengis-Khan, Tamerlan, surgissant de l'horizon, se jetant sur nous pauvres sédentaires, tristes enracinés, prenant ce qui leur convenait, et repartant vers l'horizon.

L'homme en vacances – en vacance de lieu – rêve sans doute de bien d'autres manières à une très ancienne vie nomade dont il sait tout sans jamais l'avoir vécue.

Comme on voudrait vivre au sein d'une grande famille nomade ! Pas seulement pour cette chaleur, mythique elle aussi, de la parentèle jamais dispersée, de l'épaule et de la main toujours présentes près de nous, c'est le désir filial et amical d'avoir près de soi les siens, non, pas seulement cela, mais ce voyage cent fois recommencé puis, le soir venu, l'installation du nid après une journée harassante de marche, de mouvements, de froid, de vent, de pluie, après une communion avec l'essentiel, la terre et le ciel, enveloppement matriciel sous la tente retrouvée, réouverte, belle et tendre et chaude, et alors quelqu'un vous tend une tasse de thé et en la portant à vos lèvres votre regard rencontre forcément, naturellement, le regard de ciel d'un compagnon ou d'une compagne de voyage – votre père, votre sœur, un oncle ? – et c'est le bonheur absolu, d'être là, journée finie, soleil couchant, vent tombé à la nuitée commençante, dans le bonheur de la paix du monde… Comme on voudrait !

Mais d'où nous vient cela, ce désir, cette nostalgie, sinon d'une ancienne existence, jadis, il y a dix mille ans ?

➤

Dans la grande plaine centrale de l'Amérique du Nord vivent des buissons nomades. Des boules presque parfaites, en branchettes qui portent de minuscules feuilles, presque des mousses. On voit passer les buissons gris, lorsqu'il y a du vent et c'est souvent, roulant comme des ballons de basket dont ils ont à peu près la taille. Ils se déplacent, seuls ou en bandes, s'arrêtent parfois pour se chauffer au soleil. Vous approchez, ils repartent. Le moindre souffle les pousse, de-ci de-là, et il en arrive d'autres, qui passent aussi d'un mouvement roulant, léger. On a l'impression à les voir qu'ils sont heureux, et gais d'être si heureux, et heureux d'être si gais. Vous pouvez rester des heures à contempler le passage dansant des buissons gris de la Plaine. Ah ça, mais comment donc vivent-ils ? Il paraît que nourris d'air, simplement : des mille chimies et humidités contenues dans l'air, et de poussière…

Ils naissent une nuit et s'arrachent à la terre. Sitôt nés, ils partent. Ils traversent les déserts, ils visitent le monde, ils vivent leurs quatre saisons de buissons libres, et meurent à la fin de l'hiver. Comme vous et moi.

Jacques Folch-Ribas

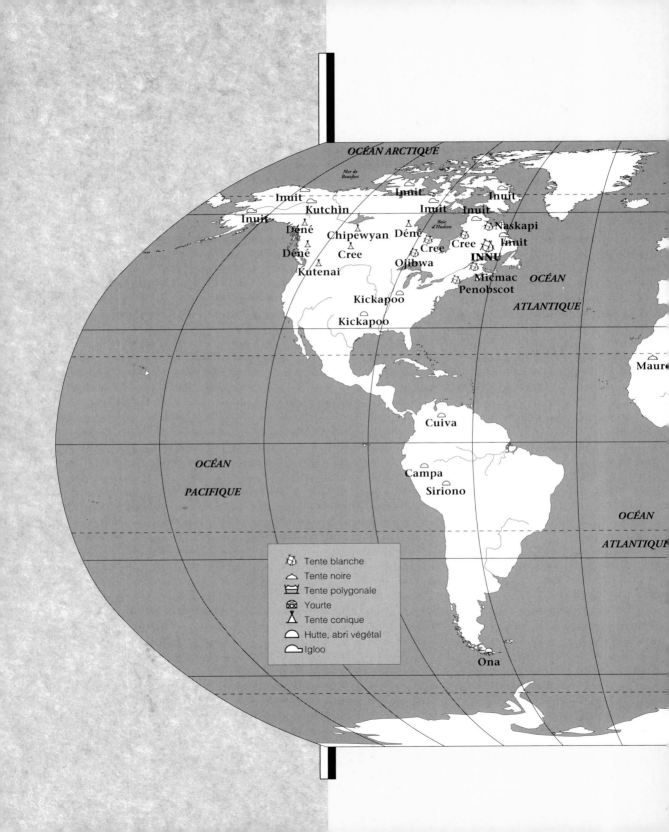

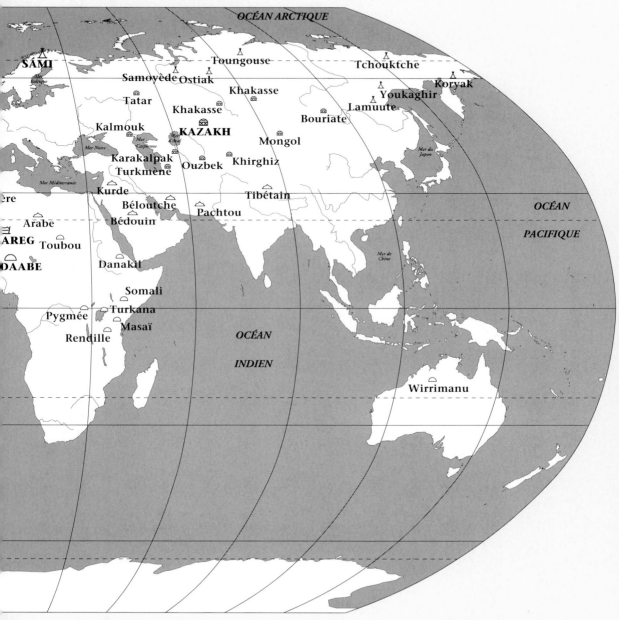

Carte mondiale approximative des territoires nomades.

Cette carte du nomadisme n'est pas exhaustive. Bien que le nomadisme soit souvent associé aux steppes et aux déserts, qu'ils soient froids ou chauds, les zones tempérées et subtropicales, riches et moins riches, se prêtent au nomadisme. Celui-ci se pratique aussi bien en Asie qu'en Europe du Nord et en Afrique, en Amérique du Nord et du Sud, en Australie et en Mélanésie.

OCÉAN ARCTIQUE

SÁMI

Mer Baltique

Toungouse

Tchouktche

Samoyède Ostiak

Koryak

Khakasse

Youkaghir

Tatar

Lamuute

Khakasse

Bouriate

Kalmouk

Mer Noire

KAZAKH

Mer Caspienne

Mer d'Aral

Mongol

Mer du Japon

Karakalpak

Ouzbek

Khirghiz

Turkmène

Mer Méditerranée

Kurde

Tibétain

OCÉAN

Béloutche

Pachtou

PACIFIQUE

ère

Bédouin

Arabe

AREG

Toubou

Mer de Chine

DAABE

Danakil

Somali

Pygmée

Turkana

OCÉAN

Masaï

Rendille

INDIEN

Wirrimanu

*Note : L'orthographe de la plupart des noms propres (peuples, villes, pays, fleuves, etc.) est la même que celle utilisée dans l'*Encyclopædia Universalis, *édition 1990, et dans* Le Grand Atlas de géographie *publié par* Encyclopædia Universalis, *édition 1986.*

1

Le nomadisme: sa nature, ses nuances

Pour les sédentaires que nous sommes, l'idée du nomadisme suggère celle de la liberté, souvent associée à des espaces infinis, à une structure sociale plus lâche, à un certain anarchisme et même à un peu de sauvagerie primitive. Cette idée recoupe également celle de mobilité, d'aventure et de détachement, celui-ci étant évidemment lié à l'absence d'enracinement territorial.

Mais qu'en est-il au juste? Qu'est-ce qui définit le nomadisme? Qu'est-ce qui le particularise, le distingue de l'errance et de la fuite? Une équipe du Musée de la civilisation a voulu répondre à certaines de ces questions en présentant cinq cas illustrant les deux grandes formes de nomadisme: celle des chasseurs-cueilleurs et celle des pasteurs, que ces derniers pratiquent le grand nomadisme ou le nomadisme pastoral traditionnel. Observons de plus près ces modes de vie afin d'en apprécier l'efficacité, l'originalité et la poésie.

« Chasse aux oiseaux de mer », *tiré de François Ducreux,* Historiae canadensis [...], *Paris, Sébastien Cramoisy, 1664, p. 59.*
Bibliothèque nationale du Québec, Montréal

COUP D'ŒIL SUR LE NOMADISME

Les sédentaires chrétiens de tradition judaïque entretiennent des rapports ambigus avec le nomadisme. Rappelons que les Hébreux, ces fils chéris de Yahvé, étaient nomades. Une large partie de la Bible relate les déplacements de la tribu d'Abraham et de sa quête, jamais satisfaite, d'une terre promise. Plus encore, ce serait durant les périodes de sédentarisation que les dangers de perdre la foi et la culture se manifesteraient avec le plus d'acuité. Yahvé incite alors ses fils à reprendre le voyage, à traverser le désert afin de retrouver les vraies valeurs pastorales.

De façon presque constante, l'Ancien Testament oppose les modes de vie sédentaire et nomade, magnifiant le second par rapport au premier qu'il assimile à la servilité ou à la dépravation. Le courage et la solidarité du peuple en marche sont donc chantés et glorifiés. Le miel et le lait, nourritures symboliques de ces pasteurs nomades, figurent également dans les poèmes récités autour des feux de camp. L'attitude romantique qui associe le nomadisme à la liberté, à l'autonomie et à l'aventure en est probablement tributaire.

SUR LES TRACES D'ABRAHAM

Yahvé était à l'origine un dieu nomade – le dieu bédouin des troupeaux. L'histoire d'Abraham et de son neveu Lot offre une autre version du conflit entre sédentaires et nomades. Abraham, un habitant des villes à l'origine, quitte la cité pour devenir nomade. Il part avec Lot et leurs troupeaux vers le pays de Canaan et vivent tels des semi-nomades au bord du désert. C'est à la suite d'une querelle au sujet de la répartition de leur cheptel qu'Abraham et Lot se séparent. Lot part alors pour «les villes de la plaine» et «dresse sa tente aux abords de Sodome». Lot, on le sait, sera puni pour son choix – Yahvé détruit les villes impies et transforme la femme de Lot en une statue de sel simplement parce qu'elle s'est retournée pendant leur destruction. Mais Abraham, qui n'a pas dérogé à la pure vie du nomade, prospère et ses deux fils, Ismaël et Isaac, vivent et engendrent les deux grandes tribus nomades que sont les Arabes et les Juifs.

Torvald Faegre, *Tents. Architecture of the Nomads*, New York, Anchor Press/Doubleday Garden City, 1979, p. 4.

Traduction de l'anglais vers le français par Catherine Coquet.

Les Romains, eux, ont connu d'autres types de nomades. Leur empire n'est-il pas tombé sous les pressions des hordes venues du Nord ? La description qu'en donne un philosophe du siècle dernier est sans doute encore marquée par la terreur que ces dernières ont pu produire. Elle est, en tout cas, sans équivoque, réduisant les nomades à l'état de barbares, ennemis de la civilisation et de la culture.

Campement situé au pied des rapides de la rivière Koksoak à 30 milles de Fort Chimo (Nouveau-Québec).
P. Dagenais, Archives nationales du Québec à Québec

« Ils se rassemblent souvent en grandes troupes et sous l'effet d'une impulsion, se mettent en mouvement. Auparavant bien disposés, ils attaquent soudain, tel un torrent dévastateur, les pays civilisés, et le bouleversement qu'ils provoquent n'aboutit qu'à la ruine et à la désolation. De tels déplacements de population se sont produits sous l'impulsion de Gengis-Khan et de Tamerlan : ils foulaient tout sur leur passage puis disparaissaient, comme un torrent traverse une forêt, privé qu'il est de véritables sources vives[1]. »

Il n'est donc pas étonnant que notre imaginaire soit façonné par ces visions contradictoires des sociétés nomades. Entre rêve et terreur, le monde occidental s'est forgé une image des nomades qui la neutralise. Ainsi, un dictionnaire d'usage courant définit le nomadisme sans complaisance et plutôt négativement. Le nomadisme y est en effet décrit, par opposition au mode de vie sédentaire, comme l'absence de quelque chose. On peut lire au mot « nomade » : qui n'a pas d'établissement, d'habitation fixe, en parlant d'un groupe humain. Plusieurs adjectifs associés au phénomène comme « ambulant », « errant », « instable » et « mobile » ajoutent à cette perception négative.

1. Hegel, cité par R.B. Sulejmenov dans *Nomades et sédentaires en Asie centrale*, textes réunis par H.-P. Francfort, Paris, Éd. du Centre national de la recherche scientifique, 1990, p. 227.

Sans totalement nier ces conceptions, il est possible de comprendre et d'expliquer le nomadisme selon une perspective qui fait place aux caractères humains de rationalisation et de symbolisation qu'ont développés ces

VIOLONS ET PANTALONS

Les apports des nomades à la civilisation mondiale n'ont pas été jusqu'à présent estimés à leur juste valeur et objectivement. Ils ont été considérables, car les nomades constituaient une partie très importante de l'humanité de notre planète. Il est possible de rappeler quelques-uns de ces apports. Ainsi, une lacune chez les sages de l'Antiquité est leur méconnaissance de la yourte. Il s'agit là d'une des créations géniales de la raison humaine et indubitablement de la huitième merveille du monde. Rappelons également l'invention et la diffusion du vêtement conve-

On doit l'invention des selles rigides, des bottes de cavalier, des étriers et du nécessaire guerrier aux ancêtres des nomades Kazakh.
Ouraz Mukamedjanov

nant aux cavaliers (en particulier pantalons, siège rigide et étriers), de certains types d'armes (arc complexe, cataphracte), de l'art du combat à cheval et de certains instruments de musique (à cordes, du type *dombura* et du *houra* mongol, du *kobyz* à archet, etc.). Beaucoup de ces découvertes et inventions ont été rapidement et largement diffusées parmi les peuples d'agriculteurs, en Europe et en Asie. Notons en particulier que l'ancien *kobyz* ou *komouz* fut le prototype des célèbres violons de Stradivarius, et que l'usage des pantalons se répandit rapidement en Europe.

K.A. Akichev, *Les Nomades à cheval du Kazakhstan dans l'Antiquité*, cité dans *Nomades et sédentaires en Asie centrale*, textes réunis par H.-P. Francfort, Paris, Éditions du Centre national de la recherche scientifique, 1990, p. 15.

Un groupe de cavaliers s'acheminent vers la ville d'Oulan-Bator (Mongolie).
Alain Saint-Hilaire

sociétés. Le nomadisme, comme phénomène historique, a contribué à l'évolution technologique et sociale du monde en même temps qu'il a permis une large diffusion culturelle entre les peuples nomades et sédentaires.

Il permet encore aujourd'hui de maximiser la mise en valeur de certains territoires autrement délaissés. Pour ce faire, le nomadisme a adapté des formes d'organisation sociale sur lesquelles il a fondé des modes de vie. Encore aujourd'hui, il perpétue des techniques toujours efficaces, sans négliger les nouveaux apports technologiques. Selon cette perspective, on retrouve différents genres de nomadisme ; voyons de plus près ce qui les distingue et ce qu'ils ont en commun.

LA VRAIE NATURE DU NOMADISME

Le nomadisme est lié à **la mobilité d'un groupe** et non pas d'un individu isolé. Pour que le nomadisme soit associé à un genre de vie, il se doit d'être partagé par une communauté. Le phénomène, entendu au sens strict, ne peut donc être étudié qu'en tenant compte de ses

Le pasteur nomade, qu'il soit d'Afrique ou d'Europe, entretient un lien fondamental avec son troupeau. Leur survie mutuelle est intimement liée et n'est possible que grâce à une connaissance parfaite des bêtes et des pâturages.
Alain Saint-Hilaire

caractéristiques sociales, c'est-à-dire en considérant son système économique, culturel et politique.

Autre caractéristique, **le rapport au territoire** constitue la pierre angulaire des sociétés nomades traditionnelles. C'est lui qui dicte les migrations et les types de déplacement; c'est autour de lui que s'organise la production; c'est en tenant compte de lui que se fixent les traditions et les rituels. On ne peut abstraire ce genre de vie du cadre géographique et écologique auquel se greffent l'organisation sociale et militaire, les arts et les techniques, la religion et les contacts culturels des peuples nomades.

Pour l'équipe du Musée, l'importance du facteur écologique justifiait le cadre du champ d'exploration qui devait guider le scénario de l'exposition. Ce choix impliquait par ailleurs l'exclusion des types de mobilité qui n'entretiennent pas de rapport d'exploitation primaire du territoire, comme celui des gitans ou des forains qui, tout en faisant partie d'une société mobile, se déplacent pour « louer » leurs services et leur expertise, sans mettre à profit le territoire parcouru. Les mendiants ou les vacanciers sont aussi d'un autre type. Par contre, tout type de nomadisme partagé par un groupe social et lié à une exploitation territoriale, qu'elle soit saisonnière ou non, partielle ou totale, fait partie du champ d'investigation. En somme, l'exposition se limite aux types courants de nomadisme, soit celui des chasseurs-cueilleurs, aussi appelés « déprédateurs », celui des nomades pasteurs traditionnels ou n'utilisant ni le cheval ni le chameau pour leurs déplacements, ou des grands nomades de type bédouin.

Dans l'Arctique, un couple inuit et leurs chiens huskies se déplacent en quête d'un nouveau territoire de chasse.
Fred Brummer

Pour éviter une généralisation à outrance, l'ampleur de ce champ d'investigation a cependant nécessité l'imposition de certaines balises au niveau des modèles de nomadisme, des zones géographiques et de la proximité politique et culturelle.

S'ADAPTER POUR SURVIVRE

Le nomadisme, en tant que système économique et culturel particulier (type d'économie, mode de vie, structure de l'organisation sociale et militaire, religion et conception du monde, culture et vestiges, art et mythologie, moyens de transports, musique et poésie, etc.), est le résultat d'une adaptation, au cours des siècles, de l'homme à une niche écologique particulière. Ceci est également applicable aux éleveurs de chevaux de la zone aride de l'Asie centrale et de l'Eurasie (dont une partie importante est occupée par les steppes et semi-déserts de l'actuel Kazakhstan), aux nomades éleveurs de chameaux des grands déserts de l'Afrique. Seules les connaissances poly-ethnologiques modernes sont en mesure d'expliquer le fait que des tribus et des peuples si éloignés les uns des autres présentent des analogies surprenantes dans leur culture matérielle et spirituelle, leurs rapports sociaux et familiaux, leur conception du monde et leur tournure d'esprit. Une niche écologique spécifique concrète conditionnait les moyens de subsistance, le mode de vie, les formes de pensée de l'homme, autrement dit, ce que nous appelons l'adaptation au milieu où ils habitaient et survivaient.

> K.A. Akichev, *Les Nomades à cheval du Kazakhstan dans l'Antiquité*, cité dans *Nomades et sédentaires en Asie centrale*, textes réunis par H.-P. Francfort, Paris, Éditions du Centre national de la recherche scientifique, 1990, p. 15.

Ce sont elles qui ont amené à privilégier les cinq sociétés qui illustrent ce propos : les Montagnais (Innu) sont des chasseurs-cueilleurs ; les Sámi et les Wodaabe, des pasteurs de type classique ; les Kazakh et les Touareg, de grands nomades.

LES GRANDS TYPES DE NOMADISME

Deux grandes classes de nomadisme sont retenues : celle des peuples déprédateurs, c'est-à-dire ceux qui vivent de la chasse, de la pêche et de la cueillette, et celle des pasteurs. Ce dernier groupe se subdivise en deux sous-groupes : les pasteurs traditionnels ou prébédouins et les grands nomades de type bédouin.

Le nomadisme des chasseurs-cueilleurs

Le nomadisme des déprédateurs ou des chasseurs-cueilleurs est l'expression directe des alternances saisonnières et de la plus ou moins grande richesse du milieu pendant les diverses périodes de l'année. Différentes formes de déplacement se présentent donc selon les régions et les climats. Ainsi, grossièrement brossées, trois zones appellent des déplacements particuliers chez les déprédateurs. Les zones arides exigent des déplacements organisés en fonction de la pluviosité ; en saison sèche, on observe une concentration autour des points d'eau alors que la saison humide entraîne une dispersion. Les contrastes thermiques des zones tempérées demandent, par ailleurs, une organisation articulée autour des successions saisonnières. Le printemps et l'été facilitent l'implantation de villages de pêche où l'on pratique également la cueillette alors que la disette hivernale conduit à la mise en place de grandes expéditions de chasse vers le nord. Dans la région subpolaire, les déplacements prennent généralement une orientation sud-nord (taïga-toundra), mais ils peuvent également suivre le cours des rivières, en particulier pour les rivières à frai. La richesse de la faune marine arctique permet des habitats d'hiver (iglous ou huttes) qui conjuguent une relative stabilité avec des expéditions de chasse plus ou moins importantes selon les saisons. Enfin, au contraire des deux zones précédentes, la sylve équatoriale, qui présente peu de différenciation saisonnière, impose moins de contraintes. Elle permet plus de souplesse dans les déplacements qu'on a même qualifiés de « désordonnés », parce qu'aucune direction n'était prévisible (Pygmées africains, Vedda du Ceylan).

Enfumage d'abeilles par un Pygmée Mbenga, au nord du Congo. La qualité de vie des chasseurs-cueilleurs dépend essentiellement des richesses de leur environnement. Un climat chaud et humide offre de vastes possibilités alors que la pauvreté des zones arctiques exige le déploiement d'efforts soutenus.
S. Cordier, Explorer/Publiphoto

Ce type de nomadisme constitue la forme la plus totale d'adaptation au territoire. Il est d'ailleurs fréquent que ces peuples perçoivent les changements saisonniers de façon beaucoup plus précise que les sédentaires. Ils développent ainsi des calendriers saisonniers fort complexes sur lesquels se fondent leurs pratiques économiques. À part les techniques de chasse, on trouve chez ceux qui pratiquent ce type de nomadisme une quasi-absence de contrôle de la nature au profit d'une adaptation maximale au système écologique, à la différence des éleveurs qui exercent un certain contrôle sur la nature en gérant directement le stock génétique du troupeau qu'ils s'approprient ou encore, à un autre niveau, chez les agriculteurs sédentaires qui effectuent des travaux sur le sol pour en modifier la production et qui stockent des denrées. Ce caractère est non négligeable puisqu'il constitue le trait distinctif des sociétés nomades déprédatrices et pastorales. On retrouve parmi ceux qui pratiquent ce type de nomadisme les Montagnais d'Amérique du Nord ou Innu, tels qu'ils se dénomment eux-mêmes. Avant l'arrivée des Blancs, ces nomades occupaient un immense territoire qui s'étendait jusqu'au Saguenay, puis pénétrait à l'intérieur des terres jusqu'à Saint-Augustin à 600 kilomètres au nord-est de Sept-Îles. Encore aujourd'hui, les Innu parcourent cette vaste région au rythme de leurs déplacements saisonniers. Bien qu'ils quittent leurs villages pour des séjours beaucoup plus courts qu'autrefois, les distances franchies chaque année demeurent impressionnantes.

Le nomadisme pastoral

La classification des formes de nomadisme est établie en fonction des variétés du milieu. En tant que système économique et culturel particulier, le nomadisme pastoral doit sa spécificité à l'adaptation à une niche écologique particulière. Comme l'indique Akichev, l'un des spécialistes du sujet, ce nomadisme est « également applicable aux éleveurs de chevaux de la zone aride de l'Asie centrale et de l'Eurasie (dont une partie importante est occupée par les steppes de semi-déserts de l'actuel Kazakhstan), aux nomades éleveurs de rennes du nord de l'Europe, d'Asie et d'Alaska, ainsi qu'aux nomades éleveurs de chameaux des grands déserts de l'Afrique[2] ». On peut ajouter que ce concept de nomadisme

2. K.A. Akichev, *Les Nomades à cheval du Kazakhstan dans l'Antiquité*, cité dans *Nomades sédentaires en Asie Centrale*, textes réunis par H.-P. Francfort, Paris, Éd. du Centre national de la recherche scientifique, 1990, p. 15.

pastoral convient aussi aux éleveurs d'ovins de la bande du Sahel, comme les Wodaabe.

Dans le centre des déserts, domine un nomadisme à migrations apériodiques, à déplacements sans rythme précis, correspondant aux régions où les pluies sont elles-mêmes irrégulières. Les bordures désertiques ou les montagnes accueillent un type de nomadisme plus saisonnier. Les migrations des peuples qui le pratiquent suivent le balancement régulier des secteurs géographiques de possibilités différentes. On parle généralement de « nomadisme vertical » lorsque les migrations se font en hauteur, selon les changements saisonniers relatifs aux dénivellations montagneuses. Soulignons que l'on distingue la transhumance du nomadisme dans le sens où le premier terme suppose des déplacements propres à une partie du groupe social (les bergers par exemple) alors que le véritable nomadisme inclut l'ensemble du groupe.

Le nomadisme pastoral traditionnel

Le nomadisme pastoral traditionnel se caractérise par des migrations relativement lentes et de courte distance. Ces sociétés tribales et peu hiérarchisées allient souvent une forme de culture à l'élevage. Leurs habitations, souvent de type « hutte », ne sont que relativement mobiles. Lorsque ces pasteurs traditionnels coexistent avec des grands nomades, ils peuvent constituer une couche inférieure de la société, parfois même une classe d'esclaves. Les pasteurs traditionnels sont généralement de bon voisinage, calmes et pacifistes. Ils préfèrent souvent les déplacements ou la fuite plutôt que les conflits ouverts.

En Eurasie et dans la toundra subpolaire, un nomadisme de forme pastorale s'est développé à partir de la domestication des troupeaux de rennes. Il est à noter que celle-ci s'est accomplie vers le troisième millénaire avant notre ère, c'est-à-dire après la dernière migration par le détroit de Behring, ce qui expliquerait, en partie du moins, que les peuples d'Amérique ne la pratiquent guère. Encore une fois, dans les zones marquées par des différences climatiques importantes, les migrations s'organisent selon les rythmes naturels et selon des itinéraires géographiques sud-nord. Deux peuples illustreront ce type de nomadisme : pour le Nord, les Lapons, appelés «Sámi»; pour le Sud, les Wodaabe.

Le grand nomadisme

C'est la domestication du cheval ou du dromadaire qui, en permettant de couvrir rapidement de longues distances, a fait naître un second type de nomadisme pastoral appelé «grand nomadisme» ou «nomadisme de type bédouin». Quoique celui-ci conserve les principaux caractères du nomadisme pastoral «traditionnel», c'est-à-dire «un genre de vie permettant pleinement et régulièrement» (*Encyclopædie Universalis*, 1990, p. 388) la mise à profit des possibilités des zones arides par des déplacements saisonniers avec du gros ou petit bétail, il s'en différencie par une plus grande mobilité qui influe sur les possibilités de contact avec les groupes sédentaires qui les environnent et par une structure sociale radicalement différente, marquée par une organisation hiérarchique prononcée. L'acquisition d'une plus grande mobilité a multiplié les contacts avec les groupes sédentaires, ceux-ci se traduisant soit par des échanges marchands, soit par des affrontements belliqueux appelés «razzias». Avec leur société hautement hiérarchisée, les Touareg du Sahara et les Kazakh des plaines transsibériennes en fournissent d'excellents exemples.

DES ÉCHANGES ET DES CONTACTS

Il importe de mentionner un dernier élément concernant le nomadisme pastoral. On s'entend de plus en plus pour affirmer qu'il ne peut exister sans contact avec les sédentaires, en particulier avec les agriculteurs. Entre les notions d'élevage et d'agriculture et entre les peuples qui les pratiquent, surtout aux marges des aires géographiques qui supportent ce genre de vie, il existe une fluidité remarquable. La variation des conditions politiques ou climatiques peut entraîner l'introduction de l'agriculture chez les éleveurs ou un passage de l'un à l'autre selon les besoins. Mais, de toute

Bien adaptés aux températures extrêmes du désert et pouvant marcher pendant des mois sans boire, les chameaux assuraient la circulation des denrées et des marchandises entre les villes et les oasis. Aujourd'hui, les caravanes relèvent de plus en plus du folklore puisqu'elles transportent davantage de touristes que de dattes, de toile ou de blé.
Ascani, Hoa-Qui / Publiphoto

façon, des échanges, institutionnalisés ou non, avec les sociétés d'agriculteurs se produisent. Certaines sociétés nomades ont même intégré ces rapports au sein même de leur propre organisation ethnique et politique. Il s'agit en général de sociétés hiérarchiques qui ont développé des classes d'agriculteurs plus ou moins au service des purs nomades. C'est le cas, par exemple, des Touareg et des Kazakh. D'autres nomades politiquement plus égalitaires comme les Wodaabe et les Sámi pratiquent eux-mêmes certaines formes d'agriculture lorsqu'ils en éprouvent le besoin et lorsqu'ils ne peuvent plus se satisfaire des rapports d'échange établis avec les sédentaires.

LE NOMADISME AUJOURD'HUI

Les sociétés nomades d'aujourd'hui sont particulièrement vulnérables. Non seulement les problématiques géopolitiques des États modernes s'ajustent-elles mal à un type d'utilisation de l'espace qui exige des déplacements sur de vastes territoires, souvent entrecoupés par des frontières nationales, mais le mode de vie traditionnel des nomades est difficilement conciliable avec les priorités sociales, médicales et scolaires des États contemporains. Bien que leur « message » écologique soit entendu et trouve de nombreux appuis, une constatation s'impose : le nombre de sociétés nomades a considérablement diminué au cours des dernières décennies. Elles sont, malgré elles ou avec elles, entraînées dans un processus de sédentarisation. Si certains États sont à réviser leurs politiques de sédentarisation, la République de Russie a entamé une réflexion à cet égard, d'autres continuent d'exercer de fortes pressions sur les quelques sociétés nomades subsistantes. Combien d'entre elles pourront entrer dans le XXIe siècle avec sérénité ? Et à quel prix ? La disparition du genre de vie nomade priverait l'humanité entière d'un système culturel fondé sur un type d'exploitation du territoire qui maximise les possibilités de certaines zones, à première vue marginales. À l'aube du nouveau siècle, quelques questions cruciales doivent être posées ; elles concernent la survie d'une forme de civilisation et d'un patrimoine international.

Les Sámi utilisent souvent un renne de tête pour encourager le troupeau à les suivre.
Cherry et Brian Alexander, Photographes

Carte approximative des territoires
des nomades d'Asie centrale.

2

De la route de la soie
à l'ère cosmique

Le tir à l'arc, encore très prisé aujourd'hui, rappelle les fameux archers dirigés par le célèbre Gengis-Khan. Ce sport est au nombre des concours d'adresse de la fête du Nadaam, fête nationale du peuple mongol.
Alain Saint-Hilaire

Dans l'esprit de plusieurs, l'Asie centrale et le Kazakhstan sont des régions où le passé et le présent sont intimement liés. Qui ne se souvient de la route de la soie, de Gengis-Khan, de Tamerlan et d'autres témoins d'un passé plus ou moins récent? Certains connaissent peut-être aussi le cosmonaute d'origine kazakh, Baïkonour. Mais que savons-nous au juste des descendants des grands nomades? L'histoire des Kazakh illustre l'un de ces itinéraires.

LES KAZAKH D'HIER À AUJOURD'HUI

Les Kazakh sont l'un des peuples nomades de l'Asie centrale. Leurs ancêtres proviennent du mélange de tribus turques habitant l'actuel territoire du Kazakhstan vers le VIIIe siècle et de groupes mongols ayant envahi la région vers le XIIIe siècle. Ils s'expriment aujourd'hui dans une langue appartenant au groupe turc, pratiquent un islamisme mélangé de croyances reliées au chamanisme et arborent des traits mongols. Plusieurs légendes relatent l'histoire de leurs origines. L'une d'elles racontée par Tchokan Valikhanov, historien kazakh du XIXe siècle, explique la formation des trois «jouzes» (hordes ou unités de base des nomades kazakh appelés alors

«Khirghiz-Kaïssak»). Les frères Mogoul et Tatar donnèrent naissance à des peuples ennemis. Le premier, Mogoul, fut l'ancêtre des Kazakh ; le second, des Tatar. À la suite de conflits sanglants entre ces peuples, il ne restait plus que trois cents Mogouls. Ceux-ci formèrent alors des groupes de cent personnes qui s'appelèrent «jouzes» et composèrent trois clans. La première phase de la constitution de la société kazakh a donc été celle de la réunion de ces trois unités. L'unification de ces hordes s'est réalisée péniblement et tardivement en raison de la vaste étendue du territoire, de l'isolement économique de ces régions et, pendant des siècles, de l'absence de gouvernement central.

PARCOURS ET PÂTURAGES

La pratique du nomadisme ne devait pas aider la consolidation des Kazakh comme peuple. Chaque tribu possédait des pâturages d'hiver, d'été et de printemps-automne, et empruntait des parcours traditionnels, souvent exclusifs, reliant

Chez les Kazakh, les troupeaux sont surtout constitués d'ovins et de caprins bien adaptés aux déplacements prolongés et fréquents.
Ouraz Mukamedjanov

ces pâturages. Le principal mode de déplacement chez les Kazakh était de type méridional : les pâturages d'hiver étaient situés dans les régions les plus au sud où vivait la tribu. À l'arrivée du printemps, les nomades commençaient leur mouvement en direction du nord pour suivre la pousse des jeunes herbes et profiter d'un climat plus chaud. Ils progressaient ainsi jusqu'aux pâturages d'été où, avec leurs troupeaux, ils s'installaient pour la saison. La distance parcourue pendant les déplacements variait selon les groupes de Kazakh. Ce sont les tribus du centre du Kazakhstan qui franchissaient les plus grandes distances : l'été, les trajets pouvaient atteindre 1 000 kilomètres et plus quand leurs troupeaux quittaient les prairies sèches du sud pour se rendre

Croyances et coutumes

De nombreuses croyances et coutumes, transmises de génération en génération, sont reliées à l'élevage. On dit, par exemple, que chaque espèce animale possède son protecteur ou « pir ». Pour les chevaux, c'est Kambar-ata ; pour les moutons, Oïcyl-kara ; pour le gros bétail, Zemgui-baba. Autrefois, on dédiait à ces patrons des animaux des monuments-mausolées que l'on trouve en grand nombre sur tout le territoire du Kazakhstan. Dans la presqu'île de Mangychlak, près de la mer Caspienne, une nécropole porte le nom du protecteur des moutons, Chopan-ata. La légende veut que Chopan-ata fut l'élève d'un illustre saint musulman, Ahmad Iassavi. Un jour, ce dernier décida de faire passer un examen à ses élèves. Les ayant rassemblés dans sa yourte, il jeta un bâton par l'orifice supérieur qui tient lieu de cheminée. Il demanda alors aux élèves de chercher l'objet en leur disant : « Le premier d'entre vous qui trouve le bâton en deviendra le possesseur. » Notons que le bâton de berger chez les nomades était un symbole de pouvoir et avait une signification sacrée. Après de longues pérégrinations, Chopan-ata trouva le bâton à l'endroit où se trouve aujourd'hui la nécropole érigée en son honneur.

Il existe une autre légende sur Chopan-ata. On dit que dans la presqu'île de Mangychlak vivait un berger du nom de Moussa. Un jour, ce dernier rencontra des jeunes filles qui faisaient paître leurs moutons et les menaient à un abreuvoir. Moussa leur vint en aide lorsqu'elles essayèrent en vain de remettre la pierre sur le couvercle du puits. Les jeunes filles l'invitèrent chez elles et le présentèrent à leur père aveugle. Celui-ci garda Moussa comme pasteur de son troupeau pendant neuf ans. Lorsque Moussa voulut partir après cette période, le vieillard lui demanda de rester encore une année en lui disant qu'il lui donnerait tous les agneaux au pelage blanc qui naîtraient l'année suivante. L'année suivante, tous les agneaux naquirent blancs. Le vieillard le garda encore une année en lui disant que tous les agneaux qui auraient le pelage pie lui appartiendraient. Cette fois, tous les agneaux naissants étaient de couleur pie. Le père donna alors sa fille cadette en mariage à Moussa et, pour marquer son succès, il le nomma Chopan-ata, c'est-à-dire protecteur des moutons.

dans les forêts-steppes du nord. Les éleveurs les plus riches, ceux qui possédaient les plus grands troupeaux, suivaient en général les plus longs itinéraires. En effet, dans les pâturages d'été, les distances entre les haltes étaient grandes, car les troupeaux avaient besoin de vastes prairies pour brouter. Chez les exploitants moins riches, les longs déplacements étaient inutiles, puisque les petits troupeaux n'avaient besoin que de territoires relativement restreints. On peut presque alors parler de transhumance. L'itinéraire des déplacements du printemps et de l'automne s'établissait d'abord en fonction de la présence de points d'eau pour abreuver les troupeaux.

La composition des troupeaux kazakh se caractérisait par la prédominance du petit bétail à cornes (ovins et caprins) et des chevaux, espèces animales bien adaptées aux déplacements fréquents et prolongés. Dans la deuxième moitié du XIXe siècle, le pourcentage de gros bétail s'accroît en raison, d'une part, de l'arrivée des colons russes et, d'autre part, d'une tendance à la sédentarisation qui s'amorce déjà. Le troupeau est alors considéré comme la plus grande richesse des nomades; les relations basées sur les marchandises et l'argent étant peu développées, l'aisance de l'éleveur est

D'OÙ VIENNENT LES ANIMAUX?

Les animaux domestiques, élément essentiel au bien-être des nomades, ont été poétisés dans le folklore populaire kazakh, comme en témoignent les différentes versions sur leur origine. On prétend entre autres que le cheval vient du vent; le chameau, des prairies salifères; le bouc, de la pierre; les moutons, du ciel et du feu. Ces mythes révèlent que chez les Kazakh le culte des animaux, qui s'est conservé jusqu'à nos jours, est relié à des croyances qui existaient bien avant l'adoption de l'islam.

appréciée par la taille et la qualité du cheptel. On aime encore raconter l'histoire d'un «bey» (chef de district), propriétaire d'un immense troupeau, qui répétait qu'il valait mieux conserver son cheptel plutôt que d'amasser de l'argent, car «si je vends mon troupeau et que je mets l'argent dans un coffre, personne ne verra cet argent, tandis que tout le monde peut savoir combien je suis riche en voyant mon troupeau.»

Les chameaux faisaient également partie du cheptel. En plus de jouer un rôle crucial dans la composition des troupeaux, ils contribuaient à établir le prestige de leur propriétaire. Les chameaux étaient en effet utiles à plusieurs égards. D'une part, la force de ces animaux leur permettait d'agir comme animal de trait pour le transport des yourtes – habitations traditionnelles des nomades de l'Asie centrale – pendant les déplacements. Les chameaux remplissaient, d'autre part, une fonction écologique. Ils ont en effet la propriété de consommer des plantes épineuses délaissées par les autres animaux et nocives pour les pâturages. Enfin, ces magnifiques bêtes coûtaient relativement cher et comme tous ne pouvaient se les offrir, elles cumulaient une troisième fonction, symbolique cette fois, en manifestant de la richesse des propriétaires. Il va sans dire que ce signe de fortune ne pouvait être toléré par l'idéologie communiste au XXe siècle. Aussi, dès les premières années de l'administration soviétique, on a cherché à interdire la possession de grands troupeaux et de chameaux parmi le cheptel.

Des mesures administratives ont alors obligé les éleveurs à réduire leur troupeau de chameaux et, dans beaucoup d'endroits, ces animaux ont même complètement disparu. C'est ainsi qu'on a vu croître dans les pâturages d'été les plantes épineuses dont se nourrissaient les chameaux, ce qui a entraîné la détérioration des pâturages, abaissé considérablement leur rendement et, par conséquent, celui de l'exploitation nomade elle-même.

MÉTIERS ET EXPLOITATION DU TERRITOIRE

L'habitation traditionnelle des nomades eurasiens était la yourte. Il en existe de nombreuses variantes qui se différencient, selon la culture locale du peuple ou de la tribu, par les détails de la construction et par l'aménagement de l'intérieur. On peut tout de même en distinguer deux grands types : le mongol et le turc. Dans le type mongol, les perches qui supportent la couverture sont droites et le « toit » est de forme conique. La couverture de la yourte turque, répandue en Asie centrale et en particulier chez les Kazakh, est supportée par des perches légèrement recourbées, ce qui donne à la partie supérieure de la yourte l'aspect d'une coupole de mosquée. Le revêtement de feutre était confectionné sur place dans chaque exploitation, mais la fabrication de la charpente de bois de la yourte était une profession en soi. Les artisans qui pratiquaient ce métier étaient en général sédentaires, car ils devaient avoir à leur disposition leur matière première (dans les steppes, on ne trouve pas de bois) et leur travail nécessitait un outillage encombrant pour ramollir et recourber les perches de la couverture.

Les nattes réalisées en roseau et recouvertes de fils de laine multicolore (chiy), que l'on maintient en tension à l'aide de pierres, recouvriront en été les parois verticales de la yourte.
Ouraz Mukamedjanov

Néanmoins, chez les Kazakh, l'exercice d'un métier ne se faisait jamais séparément d'une certaine exploitation du territoire, puisque l'élevage continuait de fournir aux artisans la plus grande partie de leur revenu. Tous les artisans se trouvaient d'ailleurs dans une situation analogue : forgerons, ferblantiers, bijoutiers. La nature de leurs activités imposait un certain degré de sédentarité. Plus les artisans accordaient

AU SUJET DE LA YOURTE...

La yourte a été conçue de façon à ce que son armature soit portative et qu'elle puisse supporter une tente de feutre. Il fallait aussi pouvoir la construire dans des matériaux faciles à trouver dans des régions où les arbres sont rares et de petite dimension. L'armature de la yourte a l'avantage de ne pas requérir des perches longues ou de gros diamètre. Le saule se prête à merveille à ces exigences : il est résistant et pousse abondamment dans les steppes. Les pans de mur de la yourte sont faits d'un treillis de tiges de saule, fendues en deux et entrecroisées, dont le diamètre n'excède pas un pouce. Ces pans sont ensuite reliés les uns aux autres par des charnières de cuir brut. Les murs sont ainsi faciles à transporter, alors que l'assemblage en diagonale des tiges augmente la solidité

et la stabilité du corps de la yourte. Les perches du toit sont fixées à l'extrémité supérieure des murs, là où les tiges du treillis se rencontrent et s'imbriquent dans un cercle de bois qu'on appelle la couronne. Un simple toit conique pourrait être construit en joignant les perches au sommet, comme pour un tipi. La couronne, par contre, permet d'utiliser des perches plus courtes et de créer en outre une ouverture qui tient lieu de cheminée et de puits de lumière.

Torvald Faegre, *Tents. Architecture of the Nomads*, p. 84.

Traduction de l'anglais vers le français par Catherine Coquet.

À L'IMAGE DU MONDE

La yourte des Kazakh appartient à la fiancée. Sa disposition intérieure est symbolique : le côté gauche est réservé aux hommes, le côté droit aux femmes. Les enfants et les aliments sont disposés du côté des femmes ; les outils et les instruments masculins, du côté des hommes. La yourte reprend le modèle du monde : sa base représente la terre plate et limitée ; sa coupole, le cosmos. Certains rituels comme les mariages et les décès y sont associés.

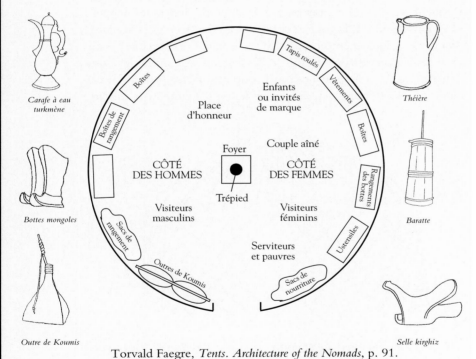

Carafe à eau turkmène

Bottes mongoles

Outre de Koumis

Théière

Baratte

Selle kirghiz

Torvald Faegre, *Tents. Architecture of the Nomads*, p. 91.

de l'attention à leur métier, moins ils déplaçaient leurs troupeaux. Cette tendance s'est accentuée vers la fin du XIXe et au début du XXe siècle chez les peuples du sud du Kazakhstan qui exerçaient une influence prépondérante sur leurs voisins, les Ouzbek et les Tadjik. Ces peuples vivaient d'agriculture tout en pratiquant de petits métiers dans les oasis du territoire situé entre les fleuves Amu Darya et Syr Darya.

SUR LE CHEMIN DU COMMERCE KAZAKH

Les Kazakh avaient établi depuis longtemps des rapports économiques avec les populations des oasis. Le commerce en Asie centrale et, en particulier, chez les Kazakh, a toujours été florissant. On sait combien la grande route de la soie, qui reliait l'Europe à la Chine en traversant l'Asie centrale, a joué un rôle de premier plan. Les Kazakh ont été très actifs dans le commerce caravanier, car ils disposaient d'un nombre important de chameaux. Ils transportaient les produits des marchands de l'Asie centrale jusqu'en Bulgarie, en Russie, à Byzance, comme l'indiquent des documents européens datant du Moyen Âge. Les relations commerciales entre les Kazakh et les populations des oasis étaient relativement limitées. En effet, la partie de la production destinée à la vente était réduite et la vente d'une partie du troupeau ou des produits de l'élevage aurait pu mettre

Le mouton a longtemps été utilisé comme monnaie d'échange dans le troc que pratiquaient les nomades aux marchés et aux bazars d'Asie. Ils échangeaient ainsi du bétail pour des produits et denrées de première nécessité. À cela pouvaient s'ajouter des objets de luxe, comme de la porcelaine et des services à thé.
Ouraz Mukamedjanov

en danger la subsistance de la famille. Seuls les riches éleveurs étaient en mesure de vendre les produits de leurs animaux sans risque.

Par ailleurs, si on examine les marchés de l'Asie centrale dans leur ensemble, on constate que les nomades et les éleveurs occupaient une place de premier rang dans le commerce du bétail. Cette influence se faisait particulièrement sentir quand, après des hivers défavorables où des épizooties avaient décimé les troupeaux, les bazars du territoire compris entre les fleuves accusaient des pénuries épisodiques de bétail, car les nomades pratiquaient le troc et la monnaie d'échange était en général une tête de petite bête à corne (mouton).

On sait en effet que la société nomade ne peut survivre isolément. Sur le plan économique, elle est étroitement liée aux oasis agricoles. Tout comme les autres nomades, les Kazakh se procuraient, par des échanges commerciaux avec les oasis, les produits de première nécessité qu'ils ne fabriquaient pas eux-mêmes. Le pain, essence même de leur alimentation, venait en premier lieu. Selon certaines estimations, si l'éleveur ne s'était nourri que de viande, même en tenant compte de la reproduction du troupeau, lui et sa famille auraient consommé l'ensemble du troupeau en trois ou quatre ans. En échange des produits du bétail (cuir, laine, feutre), les éleveurs obtenaient, en plus du pain, des tissus, des métaux, de la vaisselle et, de façon plus générale, tout ce qu'ils ne pouvaient pas produire. L'importance de ce commerce a cependant subi de nombreuses fluctuations. Ainsi, les grandes découvertes géographiques ont entraîné l'abandon de la route de la soie pour celle de la voie maritime. Par ailleurs, l'importance du commerce s'est considérablement accrue lors de l'annexion du Kazakhstan et de l'Asie centrale à l'U.R.S.S., quoique les caravanes aient été remplacées vers la fin du XIXe siècle par la voie ferrée qui relie l'Asie centrale à la Russie.

Le cheval, animal de transport et signe de richesse, a toujours été important pour les nomades d'Eurasie. Les nomades Kazakh pouvaient en posséder d'immenses troupeaux. Le régime soviétique devait cependant mettre un terme à ces « abus ». On les capture encore aujourd'hui avec une perche-lasso appelée ourga.
Alain Saint-Hilaire

DES CLASSES ET DES CLANS

Les relations communautaires jouent encore un rôle primordial dans la vie de la société kazakh, en dépit du fait que la structure sociale se soit largement modifiée à l'avènement du pouvoir soviétique. Un groupe de familles formait autrefois le noyau de la société kazakh. Dans les travaux ethnographiques européens, ces groupes fondés sur les liens du sang sont habituellement désignés par le terme « clan ». Les familles apparentées dirigeaient ensemble l'exploitation et leurs membres s'entraidaient dans leurs travaux. Elles faisaient paître les troupeaux dans des pâturages communs et les abreuvaient aux mêmes puits. En général, elles adoptaient une forme d'association appelée « aoul » (ce terme désignait aussi une concentration de quelques yourtes qui se déplaçaient ensemble).

Dans la société kazakh, une division hiérarchique en classes, fondée sur l'hérédité, séparait les groupes. Les membres appartenaient au groupe de l'« os blanc » ou à celui de l'« os noir ». À la classe de l'« os blanc » répondaient les khans, les sultans, les chefs de « jouzes » et de tribus. Si ces fonctions étaient conférées par élection, les candidatures provenaient exclusivement de la classe de l'« os blanc ». Tous les autres membres de la société appartenaient à la classe de l'« os noir ». À son tour, cette tranche de la société avait sa propre hié-rarchie interne.

Ce type d'habitation, la yourte, peut abriter jusqu'à vingt personnes. On la retrouve également en Mongolie, en Asie centrale et dans la région de la Mer Noire.
Ouraz Mukamedjanov

Au niveau supérieur se trouvaient les « tarkhans » qui étaient à la tête des sections de tribus. Bien que leur puissance soit aussi forte que celle des sultans et des khans, ces derniers n'étaient pas nobles.

Venaient ensuite les beys qui dirigeaient de plus petites sections et les aksakals qui étaient à la tête des clans, niveau inférieur de la couche privilégiée de la société. Toutes ces fonctions étaient également attribuées par élection et le pouvoir des élus dépendait de leur richesse et du nombre de

SIGNES DE RICHESSE

Pour les Kazakh, ce n'est pas la couleur du «sang» qui détermine la classe, mais plutôt celle des «os». Ainsi, si la noblesse occidentale est de sang «bleu», celle du Kazakhstan est d'os «blanc». Une simple observation de la yourte peut dévoiler des signes de richesse et de noblesse. L'échelle sociale varie selon le ton de la yourte qui s'étend du blanc au noir. À cause de la rareté du bois, les portes et les coffres montrent aussi la richesse des propriétaires, tout comme les broderies et le thé, influences de la culture russe.

parents qui pouvaient les soutenir. Sur le plan quantitatif, les éleveurs ordinaires ou «boukaras» composaient la majeure partie de la société. Les chefs militaires ou «batyrs» faisaient en quelque sorte bande à part et leur autorité ne s'exerçait qu'en période de conflits.

ISLAM ET CHAMANISME

Bien que la religion officielle des Kazakh ait été l'islam, ce sont surtout les populations des oasis qui la pratiquaient. Étant donné l'absence d'un gouvernement central chez les Kazakh dans la deuxième moitié du XIXe siècle, on ne sentait pas le besoin d'adhérer à une religion monothéiste qui, en général, renforce le pouvoir central. L'observation des règles islamiques s'accompagnait donc de diverses croyances fort répandues avant l'avènement de cette religion, tel le chamanisme.

UNE AFFAIRE DE SOCIÉTÉ, D'ÉCONOMIE ET D'ÉCOLOGIE

Au cours des dernières décennies, le nomadisme a subi de profonds bouleversements, en particulier chez les Kazakh vivant dans l'ancienne Union soviétique (on trouve aussi des Kazakh en Chine et en Afghanistan). De nos jours, il est même difficile de trouver des exploitations strictement nomades. Cette situation découle d'une politique de sédentarisation du gouvernement soviétique mise en vigueur de 1920 à 1940. Cette opération s'est déroulée plus précisément pendant la période de collectivisation lorsqu'on a forcé les éleveurs à diminuer leur cheptel en limitant par décret le nombre de têtes de bétail par famille.

Plus tard, dans les années 1960 et 1970, des mesures inverses ont été instaurées. Dans le but d'atteindre des rendements records en viande, le cheptel des fermes d'État a été augmenté sans tenir compte de la capacité des pâturages. Enfin, une troisième cause, agricole cette fois, devait assener le coup de grâce au genre de vie nomade. La mise en valeur des terres vierges au nord du Kazakhstan a ainsi causé beaucoup de dommages à l'élevage traditionnel kazakh. Les terres, qui depuis longtemps servaient de pâturages d'été, ont été labourées et ensemencées en céréales, ce qui a évidemment eu pour effet de compromettre la subsistance de plusieurs milliers d'éleveurs.

Par ailleurs, le Kazakhstan est actuellement aux prises avec un grave problème écologique : l'assèchement de la mer d'Aral. Les fleuves Syr Darya et Amu Darya qui alimentaient la mer en ont été détournés pour l'irrigation des champs de coton de l'Ouzbékistan, du Tadjikistan et du Turkménistan. On sait à quel point ce type de culture est exigeant au point de vue de l'irrigation. Or, des travaux fort complexes ont été réalisés pour humidifier les champs de coton. Des effets désastreux sur les conditions climatiques ont été ainsi produits, modifiant en large partie le climat du sud du Kazakhstan. La mer d'Aral agissait en effet comme régulateur des conditions climatiques de la région. Sa superficie étant maintenant deux fois moindre qu'à l'origine, des sécheresses fréquentes et des tempêtes de sel causées par l'action du

La surexploitation de certains pâturages par les sédentaires a modifié profondément les territoires occupés par les nomades. Dans l'ancienne Union soviétique par exemple, l'irrigation des champs de blé et de coton a créé l'assèchement progressif de la mer Aral et ainsi mis en péril non seulement la vie des nomades mais l'équilibre du système écologique.
Pascal Le Sogretain, Sygma/Publiphoto

vent sur les fonds marins désormais mis à nu ont entraîné la détérioration des pâturages.

Des années 1950 jusqu'à la fin des années 1980, des essais nucléaires ont également été effectués au Kazakhstan dans la région de Semipalatinsk. Les effets de ces expériences sont encore inconnus, mais il faut se rendre à l'évidence : le nomadisme traditionnel des Kazakh tel que pratiqué à la fin du XIXe siècle et au début du XXe n'existe à peu près plus. Pour que renaisse ce mode de vie basé sur des traditions séculaires et des connaissances profondes de l'environnement, il faudrait résoudre les problèmes concrets d'ordre social, économique et écologique.

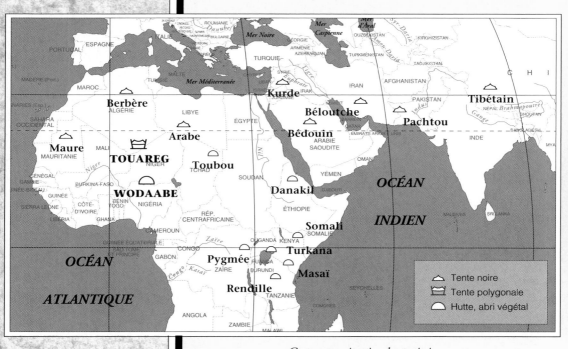

*Carte approximative des territoires
des nomades d'Afrique et d'Arabie.*

3

Touareg et Wodaabe, voisins du désert

Depuis des millénaires, les nomades touareg et wodaabe, qui ont adopté un mode de vie fort différent, se partagent un même territoire. Les premiers, grands pasteurs de type bédouin, respectent une organisation hiérarchique à plusieurs niveaux ; les seconds, petits pasteurs, s'organisent selon un schéma strictement égalitaire. Exploitation du territoire, origine, organisation sociale, économique et politique, système symbolique et religieux… suivons les traces de ces deux groupes dans la savane ou le sable du Sahara.

Le territoire touareg et wodaabe s'étend du Sahara jusqu'à la zone nord soudanienne. Dans cet espace d'environ 2 000 kilomètres de long, les acacias, les palmiers doum, les calebassiers et une grande variété d'épineux succèdent aux dunes et aux terres argileuses.
Caroll Beckwith

AU «PAYS» DES TOUAREG ET DES WODAABE

L'Ahaggar, l'Aïr et l'Adrar des Ifôghas sont les trois bassins montagneux que fréquentent les Touareg et les Wodaabe qui se déplacent entre les territoires de la Libye à l'est, de la Tunisie et de l'Algérie au nord, du Mali à l'ouest et du Niger au sud. Leur «pays», de plus de 2 000 kilomètres de long, s'étend donc du Sahara jusqu'à la zone nord soudanaise. L'Ahaggar se caractérise par la pauvreté de son tapis végétal où seules les chèvres à longs poils noirs, qui fournissent le lait, peuvent brouter. Dans la zone sahélienne pousse le cramcram ou petites herbes aux graines épineuses qui perturbent la

---

CITÉ OU MIRAGE ?

Agadez, cité rouge au cœur du Niger, est comme un port où se côtoient tous les peuples du désert : Touareg, Peuls, Haoussas, Arabes, et pilotes du Paris-Dakar. Il y règne l'atmosphère parfumée, exubérante, du voyage. Comment oublier les caravanes de chameaux, conduites par des Touareg enturbannés, qui s'avancent vers le marché aux bestiaux, les Peuls, filiformes, brandissant quelques babioles en attendant que le sort leur rende un maigre troupeau de chèvres pour reprendre la piste ? Non loin de là, les Kel Aïr, « ceux de l'Aïr », regroupent plusieurs tribus touareg, réparties tout autour d'un massif sec et broussailleux. En longeant les « oueds », asséchés dix mois sur douze, nous faisons une première rencontre : un chameau, tout blanc, promenant sa démarche hautaine à travers les acacias. Puis, quelques centaines de mètres plus loin, un troupeau

de chèvres, guidé par un enfant, haut comme trois dattes. Enfin, le campement : deux tentes de nattes, habitées par une famille au grand complet : père, mère, fils et brus, et leurs enfants. Les hommes, drapés dans des tuniques infinies, ont le visage voilé d'une longue pièce d'étoffe, le *litham*, que l'on appelle plus souvent chèche. Les femmes portent de lourds anneaux d'argent qui encadrent leur sombre et ravissant visage. Il suffit qu'une seule de ces silhouettes, enroulées dans une étoffe indigo, émeraude ou blanche, se découpe dans le vent et les rochers pour qu'une impression de solitude et d'absolu étreigne le voyageur pendant des heures. Et c'est ainsi probablement que les Touareg ont envoûté des générations entières de colonisateurs.

Pierre Perrin et Jean-Christophe Granger, *Nomades*, Paris, Éditions Denöel, 1991, p. 140-141.

marche en saison sèche. On ne pratique pas d'agriculture dans cette région et les vocations de ces nomades demeurent strictement pastorales.

Côté climat, le « pays » des Touareg et des Wodaabe se caractérise par une saison des pluies qui s'étend de juillet à la fin septembre et par une longue période sèche qui est d'abord très froide de novembre à mars, puis très chaude d'avril à juillet. On ne compte donc pas de cours d'eau permanents, seulement des mares durant la saison des pluies et immédiatement après. Pour ne pas être privés de cette source vitale, les Touareg construisent des puits de 20 à 30 mètres de profondeur et installent des stations de pompage.

Côté flore, le territoire touareg et wodaabe est souvent parsemé d'une grande variété d'arbustes épineux formant une steppe. Dans la partie occidentale règne une brousse de buissons et de fourrés alors que dans la partie nord, des dunes, des terres argileuses et des acacias parsèment le décor. Les Wodaabe fréquentent plus particulièrement les savanes.

LES TOUAREG, UNE SOCIÉTÉ HIÉRARCHISÉE

Descendants des guerriers garamantes, les Touareg présentent une organisation sociale très hiérarchisée : entre la noblesse guerrière, devenue commerçante, et les artisans-agriculteurs, appelés « iklans », sorte de classe servile constituée d'anciens esclaves, se situent les classes intermédiaires constituées de « marabouts », sages et savants détenteurs des connaissances traditionnelles, ou de vassaux. Les Touareg, malgré ces différences sociales, utilisent une langue unique et une seule écriture, pratiquent un mode de vie basé sur le pastoralisme et une religion, l'islam.

La classe sociale la plus élevée conserve la tradition guerrière des Garamantes. Ces nobles ne travaillent pas et sont servis par les autres. Ils possèdent de nombreux chameaux, animal noble par excellence servant souvent de dot dans les mariages. Les femmes de cette classe sont économiquement dépendantes. Elles ne possèdent que des servantes et ne peuvent sortir seules, même pour se rendre au marché.

En signe de pouvoir et de richesse, ces descendants des guerriers garamantes possèdent de nombreux chameaux qu'ils montent encore aujourd'hui avec tous leurs attributs guerriers.
Caroll Beckwith

Quant aux marabouts, ils tirent un pouvoir de leur connaissance de l'écriture, de l'histoire, de la politique et de la religion. Ce sont, par exemple, les scribes touareg qui suivent les caravanes commerçantes et tiennent les comptes. Leurs connaissances leur permettent également de jouer un rôle intermédiaire entre la société touareg et les sociétés environnantes. Lorsqu'ils se sédentarisent, ce sont eux qui occupent les postes administratifs dans les organisations politiques.

Enfin, les vassaux ou hommes libres ont des femmes moins dépendantes économiquement puisque celles-ci possèdent leur tente, leur lit et des animaux qu'elles ont apportés de chez leur père. Cette classe possède de grands troupeaux de bovins, de caprins et de moutons. Contrairement aux nobles, les vassaux sont généralement monogames. Pour leur part, les artisans travaillent le cuir et tous les objets d'usage courant avec leurs femmes.

Quant aux iklans, ils sont souvent constitués de gens de race noire du Sahara soumis à la conquête par les guerriers touareg ou sont des prisonniers de guerre soudanais. Les iklans de tente demeurent de véritables serviteurs soumis à leur maître noble, marabout ou vassal ; les iklans en faction séparée sont souvent des esclaves affranchis. Par ailleurs, on compte trois types de nomadisme chez cette société hiérarchisée et complexe : les purs nomades, les nomades agriculteurs et les semi-nomades.

Dans la société touareg, les femmes jouent un rôle très important, particulièrement en ce qui concerne la transmission de la culture et des titres de noblesse. Elles ont également des privilèges de visite, c'est-à-dire qu'elles peuvent recevoir des visiteurs sans la présence de leur mari, ce qui est relativement rare dans les sociétés musulmanes.

Femme bédouine voilée. Les femmes touareg, plus libres que les autres musulmanes, peuvent recevoir des amis sans la présence de leur mari et divorcer librement. Propriétaires de la tente et d'un petit troupeau, elles assurent la transmission de la culture et des titres de noblesses.
Alain Saint-Hilaire

Chez les Touareg, la tente demeure un élément essentiel. Elle est faite de pièces de peaux d'ovins, de caprins, de gazelles ou d'autruches qui sont tannées et cousues ensemble avec du fil de cuir. L'ensemble est recouvert de beurre ou d'huile et coloré d'ocre. Par ailleurs, la dimension des tentes dépend de la classe sociale à laquelle on appartient et de la richesse. Plus une tente est grande, plus on doit abattre d'animaux. La tente appartient à la femme et elle est transmise de mère en fille au décès de la première lorsque cela est possible, car on ne se départit jamais de sa tente. Elle demeure en effet le domicile de toute une vie.

Côté nourriture, les Touareg mangent sainement, mais ne disposent pas d'une grande variété d'aliments. Farine de mil ou de jujube, galettes de miel, miel de termitière, fromage de chèvre, sucre, menthe, thé, légumes, riz sauvage, raisins secs et dattes peuvent composer le menu touareg. Parmi les interdits alimentaires, on compte notamment les œufs et la viande des gallinacés, le poisson et les petits animaux comme la tortue, le lièvre, etc. Durant les voyages

PURS NOMADES, NOMADES CULTIVATEURS OU SEMI-NOMADES ?

Les **purs nomades** se déplacent souvent à cheval sur les frontières du Niger et du Mali. Étant donné les cycles saisonniers et leurs grands déplacements, ces Touareg sont souvent recensés par les autorités administratives du Niger, car c'est là qu'ils se trouvent durant la saison sèche, et au Mali durant l'autre partie de l'année. Leur itinéraire demeure toujours le même. La cure salée est un événement d'extrême importance dans la vie de ces nomades. Elle commence début août et se termine à la fin de septembre ou début novembre. Personne ne reste dans le Sud durant les transhumances saisonnières et les campements sont regroupés.

Durant la saison sèche, c'est l'éparpillement des campements (groupes de sept à huit tentes, alors que durant la cure salée, les groupes sont de trente à quarante tentes). La cure salée se fait toujours dans le nord et la montée est très lente, car les animaux sont fatigués en raison des grandes chaleurs et de la sécheresse des derniers mois. De même, le retour de la cure salée s'effectue lentement, car les animaux, gonflés de sel, ne doivent pas faire trop d'efforts.

Les **nomades cultivateurs** concilient les travaux dans les champs et la subsistance du troupeau. Beaucoup d'entre eux se rendent régulièrement à la cure salée comme les purs nomades, mais leur départ est souvent plus tardif en raison des semis et des sarclages dans les champs. En saison sèche, les groupes font de petits mouvements au sud de leurs cultures. À la saison chaude (fin mars), ils se rapprochent des montagnes à l'est et y construisent des cases sommaires en paille et y restent jusqu'aux premières pluies de juin. À la saison des pluies, ils retournent dans leurs champs et logent sous des tentes traditionnelles. Ils se livrent alors aux semis et au sarclage. Par la suite, les nomades cultivateurs se rendent à la cure salée pour une période de trois à dix jours. Pour récupérer le sel, ils creusent à la houe la terre salée et le sel recueilli est donné aux animaux.

Les **semi-nomades** vivent de plus en plus près de leurs champs et leurs déplacements sont rares et se font sur de très courtes distances. À la saison sèche comme à la saison chaude, ces Touareg restent dans leurs champs et vivent dans des cases en forme de tortue. À la saison des pluies, ils se rendent de trois à quatre kilomètres au sud et amènent avec eux leur case-tortue et leur troupeau. Le but de ce déplacement ? Éloigner les bêtes des champs. Après les semis, les jeunes conduisent les animaux en terre salée et logent sous des tentes pour une période de quinze à trente jours. Quant aux hommes plus âgés, ils demeurent près des champs. Ainsi, ce sont les cultures qui réglementent la transhumance de ces nomades.

de transhumance, les Touareg ne prennent par ailleurs qu'un seul repas par jour. Comme dans toute société musulmane, les hommes et les femmes touareg ne mangent pas ensemble. Les hommes se mettent d'abord à table par classes d'âges, viennent ensuite les femmes.

Esclavagiste, féodale et de castes, la société touareg doit son existence et sa cohésion à sa culture séculaire, fondée sur le code familial et sur la notion de territoire-patrie.

LES WODAABE OU CES GENS DES INTERDITS

D'origine plus ancienne que celle des Touareg, la société des Wodaabe n'est pas hiérarchisée. Son histoire rime avec résistance et tentative d'intégration. La manière de résister de ce peuple de pasteurs s'est souvent traduite par la migration. En effet, leur seule arme comme minorité a bien souvent été la fuite vers l'ailleurs. Leur mobilité caractéristique demeure donc un trait foncièrement culturel. Parmi les phénomènes qui ont notamment fait fuir les Wodaabe, on note la monétarisation de l'économie, l'accroissement des terres cultivées, la dégradation de l'environnement naturel et l'urbanisation. Ces nomades en fuite se sont ainsi retrouvés dans le nord, là où les terres sont souvent très arides. Leur mode de vie a changé radicalement, leur organisation sociale a été perturbée : les groupes se sont éparpillés et l'élevage de bovins est devenu de plus en plus difficile.

Chez les Wodaabe, le chef de famille est aussi chef du troupeau et son rôle consiste à gérer et à coordonner les déplacements et la recherche de nouvelles zones de pâturage. Ce dernier est choisi par consentement mutuel du Conseil des sages pour ses qualités personnelles (sa sagesse, son intelligence) et pour son charisme. Les femmes wodaabe, elles, passent leur temps à s'occuper des enfants, à préparer la nourriture, à traire les vaches, à entretenir l'enclos familial et à chercher le bois pour le feu. Ces dernières peuvent avoir plusieurs maris et la tente demeure leur propriété. Les garçons sont souvent chargés du gardiennage des animaux alors que les filles participent aux activités domestiques de leur mère. La vie des jeunes Wodaabe est marquée par un rite de passage particulier qui leur permet de devenir adultes et de demeurer dans la tradition.

L'habitation en forme de hutte de ces nomades se révèle très rudimentaire. Par ailleurs, elle est toujours identique, rappelant ainsi le concept égalitaire de cette société. Le mari est responsable de sa construction ; la femme, des accessoires domestiques. La mode vestimentaire wodaabe est également rudimentaire : les femmes se drapent d'une seule pièce de tissu très coloré ; les hommes portent un pantalon aux mollets, une chemise aux manches très amples et un couvre-chef aux décorations de type islamique.

La mobilité du peuple wodaabe est assurée par des abris simples et légers et un équipement des plus rudimentaires. Soumis à des contraintes climatiques extrêmes et difficiles et perturbés par les contraintes imposées par les sédentaires, les nomades wodaabe n'arrivent plus à assurer leur autosubsistance.
C. Nilsson, Films du sable

Dans le mode de vie wodaabe, tout est orienté autour de l'élevage des bovins. L'animal devient à la fois un outil de travail, un moyen de production et surtout un élément indispensable à la vie sociale du groupe, à sa cohésion et au développement des familles. Les autres travaux sont surtout exécutés en saison de sécheresse ou en cas d'épidémies. Ces nomades fabriquent peu d'artisanat, seulement des calebasses très décorées, des ustensiles pour la cuisine et des outils pour l'entretien des bêtes.

Pour comprendre la pensée de ce peuple, il faut prendre en considération un certain nombre d'éléments sur lesquels se fonde leur système de valeurs. Parmi ceux-ci figurent la patience, la souffrance, le désir de bonheur, la vieillesse, le cœur, la parole, le chemin, l'élevage et la vache.

DE L'AVIS DES WODAABE…

La **patience** est essentiellement liée à l'asservissement aux conditions climatiques et environnementales.

La **souffrance** est causée par la mort du troupeau et des enfants lorsque survient par exemple une grande sécheresse. Un proverbe wodaabe dit : « Tu te couches et tu ne sais pas si tu vas te réveiller et tu te réveilles et tu ne sais pas si tu arriveras jusqu'au soir. La vie ne vaut rien, car personne ne peut dire : « Demain je ferai ceci ou cela. » Ou encore : « Les bonheurs n'ont pas leurs campements proches. » Cette vision confirme l'extrême fatalisme de ce peuple.

Le **désir de bonheur** s'exprime à travers la vie puisque les morts ne veulent rien. C'est la patience qui donne tout et permet de vivre.

La **vieillesse**, c'est la faculté de pouvoir durer. Ainsi, désirer et être patient est un grand bonheur.

Le **cœur** constitue un élément clé pour les Wodaabe. Tout dépend de lui : la vie des hommes comme celle des bêtes.

La **parole** est ce qui rend l'humain supérieur à la bête. Elle représente aussi ce qui sort du cœur.

Le **chemin** à suivre est celui de la tradition. S'en écarter devient honteux.

L'**élevage** demeure la chose essentielle. Tout le reste n'est que mensonge.

La **vache** représente la vie, la nourriture, la sécurité, l'honneur et les amis. Sans elle, il n'y a que la honte, la moquerie et la solitude.

Angelo B. Maliki, *Bonheur et souffrance chez les Peuls nomades*, Paris, Éditions Édicef, 1984, p. 24.

Peuple aux nombreux interdits, les Wodaabe forment donc une société égalitaire qui tente d'exploiter rationnellement son environnement et fait preuve d'une bonne gestion en ce qui a trait à ses troupeaux et à ses zones pastorales.

TOUR DE PISTE DE L'ÉCONOMIE TOUAREG

Dans cette société hiérarchisée, les classes sociales inférieures qui sont sédentarisées ont une économie plus diversifiée que les classes supérieures à qui elles fournissent les apports supplémentaires. Ainsi, aux trois types de nomadisme touareg correspondent trois types d'économie.

C'est dans la petite ville de Bilma que deux fois par année, les Touareg se ravitailleront et échangeront le sel et les dattes contre du mil et des cotonnades. Bordé de palmiers-dattiers et des bassins des salines, cet oasis représente le point de convergence des grands circuits caravaniers qui s'effectuent entre Timia et Zinder.
Fiore, Publiphoto

Durant la saison sèche, les purs nomades installent leurs campements à proximité des champs des cultivateurs qui leur vendent ce dont ils ont besoin. Ils paient en général avec de l'argent ou quelques bêtes. Pour se procurer de l'argent, ils vendent des animaux. Mais tout ce qu'ils produisent (beurre, lait, fromage, etc.) est réservé à la consommation privée. Chez les semi-nomades qui cultivent presque exclusivement du mil, l'économie est également basée sur la vente d'animaux, la culture servant uniquement à la consommation privée. Les bêtes vendues permettent de payer les impôts et d'acheter des vêtements, du thé, du sucre et du sel. Les nomades agriculteurs, souvent d'anciens esclaves affranchis, assurent leur subsistance en commerçant animaux et produits de la terre.

Maîtrisant un certain nombre de techniques de fabrication, les Touareg artisans peuvent vendre le fruit de leurs activités. Ornements de cuivre, armes et outils en fer font ainsi l'objet d'échanges commerciaux. Parmi les autres produits clés de l'économie touareg figurent les costumes, la maroquinerie, les dattes, le sel et les pierres. D'autre part, le cheptel des Touareg est constitué de dromadaires, de chevaux, d'ovins et de caprins.

Fait particulier, cette société pratique également un certain art vétérinaire, la santé des bêtes se révélant primordiale pour l'économie et la survie des Touareg. Par ailleurs, la cueillette des fruits sauvages, du fonio, des jujubes et de la gomme arabique donne également lieu à des échanges commerciaux. Chez les Touareg, ces échanges se font selon deux axes : un axe triangulaire et un autre sud-nord. L'automne demeure la saison de prédilection pour ces activités.

Le commerce entre nomades touareg se fait donc surtout autour de l'élevage, de l'agriculture, de l'artisanat et prend la forme d'un troc dans la majorité des cas. Pasteurs nomades, les Touareg persistent toutefois à ne pas vouloir toucher à la propriété, notamment au troupeau. En voulant garder le bétail dans le lignage, ils favorisent une grande mobilité des biens de consommation et de production, d'où la popularité des marchés et des pistes caravanières.

L'ÉCONOMIE À LA MODE WODAABE

L'élevage du zébu constitue un élément important de l'économie des Wodaabe. Cette race bovine se distingue par son pelage roux foncé et ses grandes cornes en forme de lyre. Malheureusement, les grands cheptels sont disparus lors des récentes sécheresses. Les Wodaabe pratiquent aussi des activités économiques alternatives. Ils vendent par exemple du beurre, du fromage et certains produits artisanaux aux sédentaires ainsi qu'aux Touareg.

D'autre part, ces nomades ne possèdent aucune forme d'appropriation du terrain et leur système pastoral varie en fonction des cycles saisonniers. Lorsqu'ils montent vers le nord, ils signifient leur indépendance vis-à-vis des céréales et

L'économie des Wodaabe est essentiellement fondée sur l'élevage du zébu bororo. La pureté de cette race est d'ailleurs jalousement gardée par les pasteurs nomades qui refusent tout accouplement de leurs bêtes avec d'autres types de bovidés.
Caroll Beckwith

de la civilisation agraire et sédentaire. Au contraire, lorsqu'ils descendent vers le sud, ils montrent leur impossibilité d'autosubsister et la nécessité d'entamer des transactions avec la civilisation agraire et sédentaire.

TOUAREG ET TRANSFORMATION

Comme le reste de leur organisation, la politique des Touareg comporte plusieurs niveaux. Sur le plan familial, on compte la famille étendue (lignages paternels et maternels), la famille restreinte ou famille de la tente (époux et enfants non mariés) et les chefs de famille. Sur le plan tribal, plusieurs familles étendues forment une tribu qui peut posséder des terrains de parcours. Le chef de la tribu est élu par les chefs de famille.

Sous l'influence des nouveaux gouvernements et des nouveaux systèmes administratifs, de grands changements sont survenus dans la vie des Touareg. Ainsi, il n'est pas rare de voir quelques îlots capitalistes s'implanter dans un monde rural divisé en monde rural sédentaire et monde rural nomade.

De tradition guerrière, certains groupes de Touareg, notamment ceux de l'Aïr ou du Mali, perpétuent des pratiques de combat qui sont parfois mises sur le compte de la tradition. Or, ces razzias contemporaines relèvent de conditions politiques totalement différentes et ne s'intègrent plus de la même façon dans le cadre de la société touareg.

Communauté plus fière que guerrière, les Touareg de l'Aïr luttent en fait contre les tentatives de sédentarisation. Certains d'entre eux revendiquent leur indépendance, d'autres demandent un statut consacrant les particularités de leur communauté de 700 000 hommes, ce qui représente le dixième de la population. Compte tenu de l'importance de ces requêtes, le Sahara n'a pas fini d'être le théâtre de manifestations guerrières comme en témoigne cette scène contemporaine.

LES ESPRITS DES TOUAREG

Certes, les Touareg sont musulmans, mais ils croient aux esprits malfaisants, les *Kel Esuf*, « ceux du désert, ceux de l'inconnu », qui viennent du nord, s'emparent de l'âme humaine quand ils rencontrent le voyageur dans le désert. Les enfants, particulièrement, doivent prendre garde aux esprits qui les attaquent depuis le sol où ils rampent. C'est pourquoi la doyenne du campement prend le nouveau-né dans ses bras, et, à bonne distance du sol, lui fait faire le tour de la tente. On rase également le crâne des bébés véritable geste de purification, car les *Kel Esuf* peuvent se mêler à leur chevelure. Lorsque l'on donne un nom à un enfant, c'est le premier pas vers l'intelligence et le monde structuré.

Les adultes, eux aussi, ont tout à craindre des *Kel Esuf* qui peuvent être envoyés par un ennemi pour leur faire perdre la raison ou que l'on peut rencontrer au détour d'un oued. […]

Le culte des esprits joue un rôle à part, plus proche du désert que ne le sera jamais l'islam. Les anciens Arabes n'appelaient-ils pas les Touareg les « abandonnés de Dieu » ?

Pierre Perrin et Jean-Christophe Granger, *Nomades*, Paris, Éditions Denöel, 1991, p. 159.

Même en plein désert, le Touareg musulman procède à ses ablutions purificatoires avant les cinq prières quotidiennes. En raison de la rareté de l'eau, il est toutefois autorisé à remplacer l'eau par le sable.
Ascani, Hoa-Qui/Publiphoto

« Aujourd'hui, Rissa Ag Boula continue, au volant de sa Toyota, de sillonner les pistes. Mais il est l'un des commandants du FLAA (Front de libération de l'Aïr et de l'Azaouak), qui harcèle l'armée et la gendarmerie nigériennes. Répartis en petites unités mobiles, ses maquisards se déplacent la nuit et se cachent le jour dans leurs montagnes familières. Ils ont troqué leurs dromadaires traditionnels pour des véhicules tout terrain, leurs épées ancestrales pour des kalachnikovs, dépouilles rapportées des combats régionaux d'il y a plusieurs années, où la Libye de Kadhafi les enrôla dans ses guerres contre le Tchad. Et aussi, dans le Sahara occidental, contre le Maroc. Lassé par de vaines palabres avec le pouvoir de Niamey, le FLAA espère maintenant que la France appuiera son projet de système fédéral. Faute de quoi il menace de s'allier aux insurgés maliens pour exiger la création d'un État touareg indépendant. Mais, alors, toutes les rives du Sahara s'embraseraient[3] … »

Les Touareg sont musulmans. Plusieurs manifestations religieuses ponctuent la vie de ce peuple. Notons les sacrifices religieux qui consistent, selon la coutume musulmane, à égorger un animal la tête tournée vers la Mecque. Cette pratique est exclusivement réservée aux hommes.

LE PARTI DES WODAABE

L'organisation politique des Wodaabe se révèle peu développée. Ces nomades ne préconisent pas l'extension du rôle de l'État à toute la vie économique et sociale. On note par ailleurs l'existence de ruses, d'escarmouches et de petits arrangements.

En ce qui concerne la spiritualité, les Wodaabe sont animistes : ils attribuent aux choses une âme analogue à l'âme humaine. Ce peuple accorde une grande importante à la prière du matin et du soir. Ils honorent alors un dieu qui se nomme Allah ou Ciel ou le Haut. Cette force possède tout et donne aussi bien le bonheur que la souffrance.

3. André Pautard, « Les Maquisards du désert », *L'Express*, 13 mars 1992, p. 29.

Par ailleurs, les Wodaabe respectent plusieurs symboles comme la fente et la forme phallique. La marque de la fente est le signe distinctif des bovidés. On le retrouve sur le bétail sous la forme d'entailles à l'oreille et sur les calebasses. Les symboles phalliques sont gravés, tracés ou brodés sur les objets et les calebasses.

CURE SALÉE ET GUÉREWOL

Parmi les particularités culturelles des Wodaabe, on note une fête annuelle d'une grande importance appelée « Guérewol ». Cette manifestation qui réunit également les Touareg consiste d'abord à faire suivre une cure salée aux animaux. À cette occasion d'abondance et de festivités, les femmes en profitent pour choisir leur futur époux lors d'une danse de fiançailles traditionnelles.

Bien que ces deux groupes de pasteurs nomades se partagent depuis fort longtemps un même territoire, ils demeurent fondamentalement opposés sur le plan de leur organisation sociale, économique et politique. Malgré ces distinctions, les deux communautés nomades sont aujourd'hui secouées par un vent de sédentarisation. Ce phénomène entraîne d'importants bouleversements qui ébranlent considérablement les valeurs et modes de vie de ces groupes du désert partagés entre les concepts de tradition et de développement.

TEMPS DE SEL ET DE FÊTE

La grande fête du Guérewol marque la fin de la saison des pluies et des festivités. C'est à cette occasion que les jeunes hommes d'un type racial très particulier se donnent à admirer lors de danses destinées à séduire la jeune fille qui décidera de l'élu. Ce rassemblement annuel correspond aussi au moment de la « cure salée », époque où le sol détrempé par l'eau des pluies dégorge le sel enfermé pendant les mois de sécheresse. Les animaux trouvent dans les mares et pâturages temporaires des sels minéraux dont ils ont un urgent besoin. Les hommes, quant à eux, profitent de ce rassemblement pour contracter les liens qui les unissent.

Vêtus de leurs plus beaux atours et maquillés avec soin, les danseurs wodaabe tenteront de séduire les jeunes femmes qui assistent à cette fête annuelle appelée « Guérewol ». Pendant la danse, celles-ci désigneront d'un geste de la main leur futur époux.
Caroll Beckwith

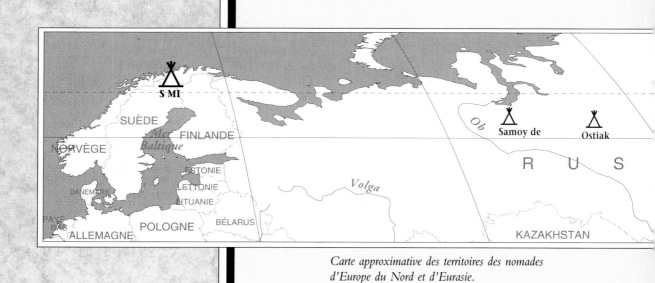

*Carte approximative des territoires des nomades
d'Europe du Nord et d'Eurasie.*

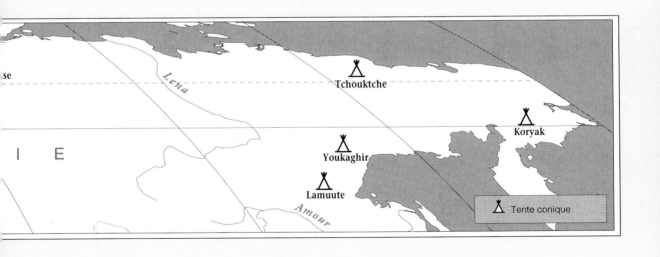

Étuis à fusil de feutre décorés d'appliqués.
Culture innu, XXᵉ siècle.
Pierre Soulard, Musée de la
civilisation de Québec

Outils servant au travail des peaux.
Culture innu, XXᵉ siècle.
Pierre Soulard, Musée de la civilisation de Québec

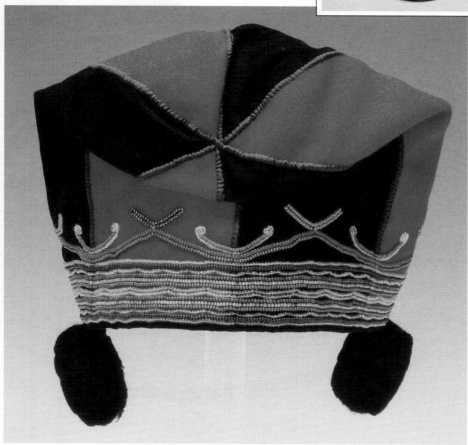

Bonnet traditionnel porté par les Montagnaises.
Culture innu, XXᵉ siècle.
Pierre Soulard, Musée de la civilisation de Québec

Chapeau bordé de cuir et orné de plumes
d'autruche mâle.
Culture wodaabe, XXᵉ siècle.
Pierre Soulard, Musée de la civilisation de Québec

*Calebasses polychromes et gravées, couvercles de feuilles
de palmier doum tressées et cuillères pyrogravées.*
Culture wodaabe, XXᵉ siècle.
Pierre Soulard, Musée de la civilisation de Québec

Parures de bronze portées aux chevilles.
Culture wodaabe, XXᵉ siècle.
Pierre Soulard, Musée de la civilisation de Québec

Tapisserie, service à thé et samovar.
Kazakhstan, XXe siècle.
Pierre Soulard, Musée de la civilisation de Québec

Bandes décoratives ornant la yourte. Alma-Ata (Kazakhstan), milieu du XXᵉ siècle.

Manteau de berger. Kazakhstan, XXᵉ siècle. Pierre Soulard, Musée de la civilisation de Québec

*Selle de chameau constituée d'une structure de bois
recouverte de cuir et de divers matériaux de récupération.*
Culture touareg, XXe siècle
Pierre Soulard, Musée de la civilisation de Québec

Poignard de bras et son étui.
Culture touareg, XXᵉ siècle.
Pierre Soulard, Musée de la
civilisation de Québec

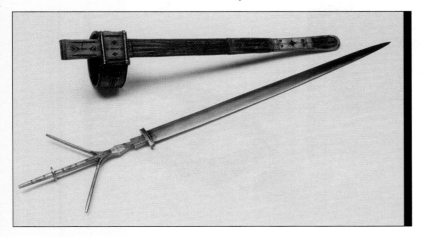

*Cadenas à coulisse et
clé fabriqués par des
forgerons sédentaires.*
Culture touareg,
XXᵉ siècle.
Pierre Soulard, Musée de
la civilisation de Québec

*Lasso et grattoir à peaux
pour les rennes.*
Culture sámi, XXᵉ siècle.
Pierre Soulard, Musée
de la civilisation de Québec

*Bottes de fourrure de rennes et
bandes molletières tissées sur
un métier rigide.*
Culture sámi, XXᵉ siècle.
Pierre Soulard, Musée de la
civilisation de Québec

Manteau traditionnel masculin.
Culture sámi, XXᵉ siècle
Pierre Soulard, Musée de la civilisation
de Québec

4

Les Sámi en marche vers l'autonomie

Gravure tirée de Olaus Magnus Gothus, Historia de gentibus septentrionalibus, *publié à Rome en 1555 et conservé au Norsk Folkemuseum (Oslo).*

Les Sámi, plus connus sous le nom de «Lapons», sont répartis à travers l'Europe du Nord, plus particulièrement dans les régions septentrionales de la Norvège, de la Suède, de la Finlande et dans la presqu'île de Kola au nord-ouest de la Russie. On estime bien approximativement cette population d'éleveurs de rennes à 35 000 personnes. Le milieu naturel des Sámi consiste en une zone de toundra taïga caractérisée par une concentration d'espèces animales et végétales qui, ailleurs dans les territoires arctiques, s'étendent sur une plus large surface. Leurs saisons se divisent en un long et dur hiver sans ou avec peu de lumière solaire, un été ensoleillé mais plutôt court et de faibles précipitations. Les ressources saisonnières obligent les Sámi à se déplacer. Bien qu'elles pratiquent aujourd'hui l'élevage du renne, ces populations sont à l'origine des chasseurs-cueilleurs.

SOCIÉTÉ SÁMI RIME AVEC ÉGALITÉ

Chez les Sámi, l'organisation sociale est de type égalitaire. L'unité de base, appelée *«sii'dà»*, peut être définie comme un regroupement de familles. Le chef du sii'dà, choisi pour ses qualités personnelles, est élu démocratiquement et il

Femme sámi en costume traditionnel. Les femmes sámi possèdent un statut égal à celui de l'homme. Elles peuvent être propriétaires et occuper des fonctions politiques.
Virginia Davidson, Norsk Folkemuseum

n'existe pas d'autorité qui lui soit supérieure. Les hommes et les femmes sont également propriétaires. Ces dernières participent donc pleinement à l'entretien des troupeaux tout en assumant les tâches domestiques. Notons que les femmes sámi possèdent un statut très élevé. En 1917, l'une d'entre elles a même été nommée présidente de l'assemblée sámi et ce, bien avant la libération de la femme en Norvège.

LE RENNE AU CŒUR DE L'ÉCONOMIE SÁMI

De chasseurs-cueilleurs, les Sámi sont devenus des pasteurs. Les historiens établissent la date d'apparition de l'élevage par le trait des rennes, vers la fin du Moyen Âge. Cette époque marque de grands changements chez les Sámi. On voit apparaître un système politique centralisateur. L'utilisation des armes à feu conduit à une surexploitation des ressources et à une chasse individuelle. Petit à petit, les animaux à fourrure, y compris les rennes, sont quasi exterminés. Les groupes de familles se disloquent. L'Europe découvre de nouvelles zones de production des fourrures et dépend de plus en plus de la Sibérie et de l'Amérique pour sa consommation. La société sámi se divise alors en deux groupes : les Sámi de la côte et ceux de l'intérieur. Petit à petit, cette société se sédentarise. Seul un petit nombre conserve un genre de vie nomade. Ces Sámi proviennent de deux groupes et se spécialisent dans l'élevage de rennes. La nécessité de suivre les bêtes dans leurs migrations saisonnières entraîne la constitution d'une société d'éleveurs nomades. L'économie de cette population est donc passée d'une

LA VIE DES ÉLEVEURS SÁMI

La vie des éleveurs a bien été évoquée par certains écrivains lapons. Elle est souvent rythmée par les saisons et le climat. L'hiver, la surveillance est le fait de petites unités. Les rennes se nourrissent

L'urbanisation rapide, les changements sociaux et la technologie moderne modifient en profondeur le mode de vie des nomades. En incorporant ces nouveaux éléments, les Sámi sauront-ils et pourront-ils encore préserver leur identité ?
Leif Pareli

de différents lichens. L'été, ils sont laissés en liberté dans d'immenses enclos à la recherche des herbes, des arbrisseaux et des champignons. Généralement, ils se tiennent sur des hauteurs où la fraîcheur et le vent leur permettent d'éviter les moustiques et les taons. La migration du printemps a lieu au début de mai et dure une dizaine de jours : on marche souvent de nuit pour bénéficier du gel nocturne. À son terme, pour permettre une heureuse mise bas, on sépare les rennes mâles des femelles gravides. La migration d'automne se fait actuellement de plus en plus tard vers les mois d'octobre et novembre. Durant l'été, c'est une plus large communauté qui s'occupe du travail de surveillance. Seuls les bergers suivent le troupeau ; les familles rejoignent directement leurs camps d'été.

Surveiller les rennes, c'est assurer la tranquillité de la mise bas, éviter les endroits dangereux (éboulis, glaciers, marais mouvants) et les animaux de proie, trouver les bons pâturages en hiver, surtout à l'époque du redoux, éviter le mélange des troupeaux lors de la migration. C'est aussi castrer à bon escient les mâles qu'on veut rendre stériles en fonction du nombre de femelles, des besoins en rennes de trait ou de viande de boucherie. Chaque Lapon, pour reconnaître son bien, découpe ses marques de propriété sur les oreilles de l'animal (*bael'je-maer'ka*). Cette «parole» (*sadni*) est une marque déposée pour éviter les vols. Généralement les découpes, faites au couteau, dans la pointe indiquent la famille, les crans ou entailles, l'individu. On abat les rennes en automne pour assurer des rentrées d'argent et permettre le meilleur développement du troupeau.

Christian Mériot, *Les Lapons*, Paris, Presses universitaires de France, collection Que sais-je ?, p. 36.

Campement sámi traditionnel, 1905. En 1958, l'État et les autorités municipales mirent sur pied un premier programme de logement pour les Sámi. Ils invitèrent alors les nomades à échanger leur mode de vie traditionnel et leur tente contre de simples maisons de bois.
Virginia Davidson, Kautokeino (1957), Norsk Folkemuseum

économie plurielle et mixte à une monoculture. Précisons que le pourcentage des pasteurs se situe environ à 10 % de la société sámi globale.

Certains problèmes sont liés au fait de pratiquer une monoculture. Le territoire, par exemple, est réduit par l'extension de l'agriculture. D'autre part, on conserve les animaux trop longtemps pour des raisons de prestige ou de richesse, alors qu'ils ne sont plus productifs. L'État compte légiférer sur ce sujet, mais c'est à chaque sii'dà de prendre position et d'imposer des règlements tant du point de vue des quotas que de celui de l'âge, du sexe, etc. Les échanges commerciaux des Sámi s'intègrent à l'économie européenne. Ainsi, on élève les animaux pour la viande qu'ils procurent alors que, traditionnellement, on utilisait l'ensemble de l'animal pour les besoins de la vie quotidienne.

LE STATUT DES SÁMI

Avant que la loi connue sous le nom de «Loi concernant les Sámi» soit promulguée en 1987, il n'existait aucune disposition légale reconnaissant le statut particulier des Sámi. D'un point de vue idéologique, le gouvernement norvégien estimait que ces derniers étaient des citoyens norvégiens ayant les mêmes droits et responsabilités que les autres citoyens du royaume – à l'exception près que les Sámi demeuraient les seuls à pouvoir garder des rennes domestiques dans les régions reconnues comme «districts de pâturage à rennes». Ces régions étaient en fait situées dans les zones que les Sámi occupaient traditionnellement. Aucune forme d'autonomie gouvernementale ne leur était acquise, si ce n'est le modèle instauré en Norvège, en 1837, qui accordait une certaine autonomie aux municipalités. Les Sámi prenaient une part active dans ce système même s'ils vivaient dans plus d'une commune et se retrouvaient souvent coupés de toute communication lorsqu'une assemblée du conseil local était convoquée.

L'attitude des autorités norvégiennes devait peu à peu se modifier à la suite des événements qui ont secoué le monde pendant la première moitié du XXᵉ siècle. Avant la Deuxième Guerre mondiale, le gouvernement considérait qu'il était essentiel d'assimiler les Sámi. Cette politique d'intégration s'est graduellement modifiée dans les années qui ont suivi la Deuxième Guerre mondiale, après que la Norvège eût, pendant les affres de l'occupation allemande, expérimenté la vie sous la domination d'une «race supérieure». Des mesures ont alors été prises pour que la langue sámi soit enseignée dans quelques écoles situées dans les districts où les Sámi étaient en nette majorité (la «zone à forte densité sámi» regroupe plus particulièrement les communes de Kautokeino et de Karasjok dans la province de Finnmark).

En 1963, une commission gouvernementale recommandait que le gouvernement reconnaisse le droit aux Sámi de conserver leur culture et leur langue et que les autorités norvégiennes mettent en œuvre les moyens nécessaires pour qu'ils puissent y parvenir. Le résultat de ce rapport? La création, en 1964, du Conseil sámi norvégien détenant un pouvoir consultatif auprès des autorités norvégiennes en ce qui a trait aux affaires sámi. Des fonds ont également servi à l'organisation d'activités culturelles variées et à la publication de quelques manuels scolaires en langue sámi.

Dans d'autres secteurs cependant, le processus d'intégration s'est poursuivi et s'est même intensifié avec les moyens de communication et les programmes scolaires. Fondamentalement, on croyait encore que les Sámi devaient accéder au même statut social que les Norvégiens et pour ce faire, ils devaient apprendre le norvégien et acquérir des habiletés culturelles norvégiennes. Les autorités scolaires obligeaient les parents Sámi à communiquer avec leurs enfants en norvégien, cette langue étant associée au succès. Les Sámi ont évidemment réagi aux mesures des autorités norvégiennes. Des groupes de pression ont été constitués pendant les années 1970. La coopération entre Sámi de Norvège, de Suède et de Finlande s'est également intensifiée, principalement par le biais du Conseil sámi du Nord dont les membres étaient élus au cours des conférences sámi internordiques.

Le groupe très restreint de Sámi qui vivait dans l'ancienne Union soviétique est demeuré isolé au sein des frontières fermées et des difficultés soviétiques. Mais avec

LES SÁMI S'ORGANISENT

Déjà au seuil du siècle, les premières organisations sámi voyaient le jour en Norvège et en Suède. En 1917, une conférence nationale des Sámi a été tenue à Trondheim, avec à sa tête Elsa Laula Renberg, une femme remarquable qui a également fondé plusieurs organisations et rédigé un factum sur les droits ancestraux des Sámi sur les terres et les eaux. Ces premières organisations sont pourtant disparues après quelques années. En 1947, l'Association nationale des Sámi norvégiens du renne a été constituée, principalement pour sauvegarder les intérêts économiques et politiques des Sámi éleveurs. Une organisation moins spécialisée, l'Organisation nationale des Sámi norvégiens (NSR), a été constituée en 1968 et s'est arrogé, dès le début, un rôle politique beaucoup plus large que celui de l'Association des Sámi du renne. Le NSR s'est scindé en 1979 à la suite du conflit de la rivière Alta quand les prises de position concernant l'insubordination ont provoqué une polarisation des opinions qui a fait que les membres restés fidèles au gouvernement se sont séparés du NSR pour constituer l'Association nationale des Sámi, le SLF. Cette organisation trouve la plupart de ses partisans parmi les Sámi sédentaires habitant le long de la côte et compte peu de membres parmi les Sámi du renne.

l'instauration de la perestroïka au cours des années 1980, des contacts ont été établis avec les Sámi russes, qui s'étendent maintenant à plusieurs secteurs dont la culture, l'éducation et l'économie.

Des organisations sámi ont également adhéré à la lutte des peuples aborigènes du globe, exprimant leur solidarité avec, entre autres, les peuples autochtones des deux Amériques, les aborigènes d'Australie, etc., principalement par le biais du Conseil mondial des peuples indigènes (WCIP).

LE CONFLIT DE LA RIVIÈRE ALTA

La rivière Alta prend sa source au cœur du Samiland sous le nom de « rivière Kautokeino ». Elle serpente à travers quelques-unes des contrées les plus spectaculaires de la Norvège, dépositaires d'importantes ressources scientifiques et de gisements culturels. Son importance première réside cependant dans la valeur symbolique qu'elle a acquise lors de la lutte pour l'autodétermination sámi dans la société norvégienne. La décision de construire un barrage sur la rivière pour une centrale hydro-électrique a provoqué un débat politique passionné au cours des années 1970. Plusieurs manifestations ont alors eu lieu : un groupe d'activistes sámi ont monté une tente devant la maison du Parlement à Oslo et ont entrepris une grève de la faim ; d'autres se sont enchaînés les uns aux autres sur le site de construction du barrage et les forces policières ont dû déployer une opération d'envergure pour les faire déguerpir. Dans une perspective à court terme, les activistes n'ont pas vraiment eu gain de cause puisque le barrage a quand même été construit. Malgré cette défaite apparente, le conflit a pourtant eu des retombées positives. C'est grâce à lui que le reste du pays a pris conscience de la situation des Sámi et que la constitution de la Commission des droits des Sámi et plus tard, le Parlement sámi, ont été possibles.

En Norvège, la lutte politique a pris toute son intensité dans les années 1970 lors du conflit soulevé par le projet de construction d'une centrale hydro-électrique sur la rivière Alta, qui devait avoir un impact impressionnant sur l'opinion publique norvégienne. Pour la première fois, les Norvégiens prenaient conscience de la situation injuste dans laquelle se trouvaient les Sámi ; la publicité qui a entouré le conflit a entraîné un courant de sympathie envers ces derniers. Le gouvernement s'est alors vu contraint de nommer deux commissions officielles : The Sámi Rights Commission (la Commission des droits sámi) et The Sámi Cultural Commission (la Commission culturelle sámi). Ces commissions avaient pour tâche de proposer les grandes lignes d'une politique officielle concernant les affaires sámi.

Rythmé par les saisons et le climat et ponctué par les migrations du troupeau de rennes, le mode de vie des éleveurs sámi est souvent menacé par l'érection de barrages, de centrales hydro-électriques, par des catastrophes écologiques ou des enjeux territoriaux.
Fred Brummer

La Commission des droits sámi a remis la première partie de ses travaux en 1984. Dans ce rapport de 600 pages intitulé « Du statut juridique des Sámi », la Commission présentait en premier lieu une étude des antécédents historiques des Sámi en prenant pour critères les conventions internationales visant les peuples indigènes. En conclusion, le rapport proposait une série de recommandations dont les deux plus importantes consistaient en un amendement à la constitution norvégienne, confirmant la responsabilité du gouvernement de mettre en œuvre les moyens nécessaires pour sauvegarder et développer la culture et la langue sámi, ainsi que la création d'une assemblée élue par suffrage direct pour les Sámi, qui remplacerait le conseil sámi désigné par le gouvernement.

La recommandation qui visait la création d'un Parlement sámi a soulevé immédiatement une vive controverse autant au sein de la communauté sámi que dans la communauté norvégienne. Plusieurs ont décrié cette « mesure particulière », invoquant qu'elle allait à l'encontre des visées des autorités norvégiennes comme des Sámi eux-mêmes de les considérer comme un « groupe particulier ». Il fallait plutôt les considérer comme des citoyens à part entière.

D'autres objections ont apporté des éléments plus concrets : le fait qu'une élection par suffrage direct exigerait une définition claire de ce qu'est véritablement un Sámi en est un exemple. En effet, jusqu'à maintenant, aucun critère objectif ne peut définir l'appartenance sámi.

Ainsi, cette situation a soulevé plusieurs points sensibles. Il fallait tenir compte des personnes de descendance mixte, de celles qui se considèrent Sámi, mais ne parlent pas la langue, et de celles qui ont renoncé à leur identité ethnique, souvent pour éviter la honte d'être considérées de culture ou de race inférieure. Pour beaucoup, le fait d'étaler leurs racines au grand jour allait raviver des souvenirs pénibles qui pourraient avoir des répercussions autant sur leur vie sociale que sur leur équilibre psychologique. D'autre part, une vision plus extrémiste s'opposait à l'établissement d'une liste électorale sámi qui, dans l'hypothèse d'un régime fasciste ou d'une occupation ennemie, pourrait être à l'origine d'une persécution ou d'un génocide.

Célébration d'un mariage sámi où les invités portent les vêtements traditionnels ainsi que le bonnet dont la forme, la couleur et la décoration sont particulières à chaque province.
Fred Brummer

Deux des organisations sámi, le NSR et le NRL, étaient en faveur d'élections par suffrage direct et d'une liste constituée à partir de critères subjectifs et objectifs. La troisième organisation, le SLF – qui s'opposait avant tout à la création d'un Parlement sámi – s'élevait contre une liste électorale recensant exclusivement les Sámi et proposait plutôt d'utiliser les listes électorales norvégiennes pour élire le Parlement sámi. Mais cette idée devait être rejetée pour deux raisons : même dans les zones à forte densité sámi, une importante population non sámi subsistait et la majorité des Sámi vivaient en dehors des zones à forte densité, parmi une vaste majorité de Norvégiens. Les listes municipales ne pouvaient donc pas être utilisées pour des élections réservées à la population sámi.

En fin de compte, la Loi concernant les Sámi a été ratifiée par le Parlement norvégien en 1987 et comportait les règles suivantes : la personne doit se considérer un ou une Sámi, elle doit parler le sámi dans son foyer ou avoir des parents ou grands-parents qui le parlent. En 1992, on a proposé d'élargir ces règles jusqu'au bisaïeul (arrière-grand-parent).

L'autre question soulevant une controverse a été la composition du Parlement. Les représentants devaient être élus dans treize circonscriptions électorales, chacune élisant trois membres. Les douze premières circonscriptions englobaient les zones d'occupation traditionnelle des Sámi dans les régions du nord et du centre de la Norvège, alors que la dernière circonscription couvrait le reste du pays, la capitale, Oslo, ainsi que certaines autres grandes villes abritant une large population.

D'autres questions, peut-être plus difficiles encore, concernaient la représentation des Sámi du renne qui ne constituaient que 10 % du peuple sámi, mais possédaient une reconnaissance symbolique importante. Après plusieurs péripéties, on s'entendit sur une façon de leur donner une représentation raisonnable. Aux élections de 1989, quatre propriétaires de troupeaux de rennes figuraient parmi les trente-neuf membres élus au Parlement.

Le 10 octobre 1989, à Karasjok, le roi Olav a présidé la cérémonie d'ouverture du Parlement sámi, retransmise en direct sur les ondes de la télévision nationale. Que le roi en personne préside à l'ouverture du Parlement sámi a valu beaucoup de publicité et a contribué sans aucun doute à rehausser le prestige du Parlement. Ceux qui s'y étaient opposés ou qui n'y avaient trouvé aucun intérêt ont opté graduellement pour une attitude plus positive une fois les travaux du Parlement commencés et à mesure qu'il devenait clair que les autorités prenaient les Sámi au sérieux.

Mais quels devaient être les pouvoirs précis du Parlement sámi ? Selon la Loi concernant les Sámi, le Parlement était chargé d'étudier les questions qu'il jugerait essentiellement importantes pour le peuple sámi. Pourtant, le Parlement sámi ne détenait un pouvoir décisionnel que sur des questions spécifiques et uniquement quand ce pouvoir était transféré des institutions nationales. Dès son instauration, le Parlement a donc repris les responsabilités qui incombaient à l'ancien

UN PRÉSIDENT, UN PRÉCURSEUR

Quand le Parlement sámi a élu son premier président, il n'a pas été surprenant que ce titre soit attribué à Ole Henrik Magga. À 42 ans, Magga était déjà un politicien expérimenté qui avait été président du NSR, l'Organisation nationale des Sámit norvégiens, pendant les années tumultueuses du conflit de la rivière Alta. Durant cette période cruciale, il s'est illustré comme un porte-parole pacifique, mais lucide et réaliste de la cause sámi, ce qui lui a gagné l'estime de ses partisans comme de ses détracteurs.

Le jeune Magga a passé son enfance dans une petite ferme sans route ni électricité, où il a appris à manier les rennes, à capturer les oiseaux dans la forêt et à pêcher le poisson dans le lac pour subvenir aux besoins de sa famille. À l'âge de sept ans, il a été admis à l'école primaire de Kautokeino où il a passé les deux premières années à ne rien comprendre – il ne parlait pas un mot de norvégien et l'instituteur ne parlait pas un mot de sámi. À force de travail, le jeune homme a terminé pourtant ses études secondaires et terminales et a entrepris des études en mathématiques et en biologie à l'Université d'Oslo avant de se diriger vers la linguistique et d'obtenir son doctorat en 1986. La même année, on l'a nommé professeur de langue sámi, mais il a décidé quelque temps plus tard de retourner à Kautokeino où il a assumé un poste à l'Institut sámi du Nord – un centre de recherche sur les études sámi, subventionné par les gouvernements des cinq pays nordiques. En tant que président du Parlement sámi, il doit, entre autres, définir le rôle qu'il aura à assumer dans cette fonction, puisqu'il n'a aucun prédécesseur pour lui montrer le chemin. Compte tenu des questions importantes qu'il aura à régler, l'avenir de ce représentant du peuple sámi est porteur d'un grand nombre de défis.

Conseil sámi désigné par le gouvernement, y compris les pressions importantes qu'il pouvait exercer sur les allocations de subventions destinées à stimuler les activités culturelles ou le développement économique des districts sámi.

Dès le départ, la composition politique de ce Parlement est devenu un chaud sujet de discussion : les candidats devaient-ils faire campagne en utilisant les programmes électoraux des principaux partis de la société norvégienne ou était-il possible de trouver de nouvelles solutions qui s'adapteraient mieux à la façon de vivre sámi ? Plusieurs orientations ont été favorisées. Un total de quarante-sept listes a été présenté dans les treize circonscriptions électorales. Vingt de ces listes ont été établies à partir des partis politiques reconnus ; les vingt-sept autres provenaient de diverses organisations sámi et d'initiatives électorales. La principale organisation sámi, le NSR, était représentée dans toutes les circonscriptions et a formé le bloc le plus important du Parlement.

En 1963, le premier pas pour la reconnaissance de la culture et de la langue sámi est franchi. Un quart de siècle plus tard, le roi de Norvège célébrera officiellement l'ouverture du Parlement sámi.
Harry Johansenn

Le Parlement sámi est encore une très jeune institution et l'influence qu'il pourra exercer sur les décisions importantes concernant le peuple sámi est encore à démontrer. Les Sámi vivent tous dans des régions mixtes, la majorité d'entre eux éparpillés sur de grands territoires où leur nombre est de beaucoup inférieur aux non-Sámi. Même dans la zone à forte densité sámi, il y a beaucoup de non-Sámi qui verront d'un très mauvais œil que des décisions politiques soient prises dans leur communauté sans qu'ils soient consultés. Il existe plusieurs sources de conflit à l'état latent, non seulement entre Sámi et non-Sámi, mais aussi entre les différents groupes qui forment le peuple sámi. Les conflits qui existent entre les Sámi du renne nomades et les fermiers sédentaires sont souvent des rivalités traditionnelles entre deux branches différentes du peuple sámi. Les Sámi du renne, qui se targuent souvent d'être le pivot de la culture sámi, pourraient ne pas accepter facilement que des politiciens sámi, recrutés en majorité dans d'autres sphères d'activité, s'ingèrent dans leurs affaires.

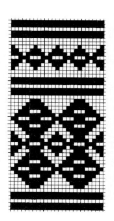

Mais un autre événement politique d'importance pointe à l'horizon. Si la Norvège décide de se joindre à la communauté européenne, la minuscule nation sámi devra non seulement se maintenir dans un pays fort de 4 millions d'habitants, mais elle deviendra également une composante dans un système politique et économique qui se chiffre à plus de 300 millions d'habitants. Il sera certainement plus difficile pour les Sámi de porter leurs revendications à Bruxelles plutôt qu'aux ministères d'Oslo.

En d'autres mots, le futur des Sámi éleveurs de rennes demeure pour le moins incertain. Malgré tout, ce peuple se trouve actuellement sans doute dans une meilleure position que tout autre peuple aborigène dans le monde.

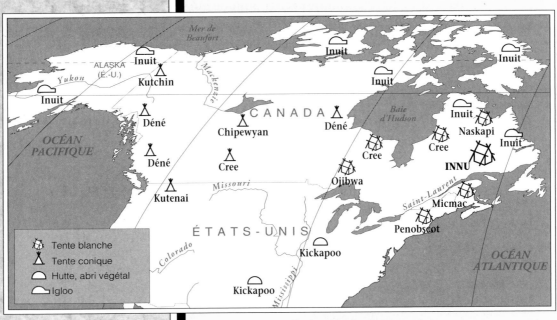

Carte approximative des territoires
des nomades d'Amérique du Nord.

5

Les Montagnais
ou Innu des six saisons

Traditionnellement, les Montagnais, aussi appelés «Innu», sont des nomades chasseurs-cueilleurs. Ils se déplacent essentiellement par voie d'eau sur d'immenses territoires en forêt boréale. Leurs cycles de déplacement, qui varient selon les alternances saisonnières et les changements de température, constituent l'une des formes les plus complètes d'adaptation au territoire, adaptation qui se manifeste d'ailleurs par

Détail de la « Carte géographique de la Nouvelle-France faictte par le Sieur de Champlain…[1850 ?] ». Illustration d'une famille montagnaise, tirée de Samuel de Champlain, Les Voyages du sieur de Champlain […], *Paris, Jean Berjon, 1612.*
Bibliothèque nationale du Québec, Montréal

un cycle de six saisons. Depuis des générations, des tentes polygonales abritent leurs migrations. Dans les années 1950, les Montagnais ont cependant commencé à se sédentariser. Depuis, le nomadisme traditionnel tel que pratiqué par les chasseurs-trappeurs montagnais s'est considérablement transformé. Mais à quoi ressemblent les déplacements saisonniers de ces nomades ?

UN TERRITOIRE, DEUX MOUVEMENTS

Entre Québec et la péninsule du Labrador s'étendent les territoires occupés par les Montagnais qui recouvrent une surface d'environ 500 000 km². S'ajoute à cela toute la partie nord de la rivière Saguenay qui serait à l'usage presque exclusif des trappeurs innu. Ceux-ci sont regroupés au sein de neuf villages connus sous les noms de Betsiamites, La Romaine, Les Escoumins, Washat-Maliotenam (Sept-Îles), Matimekosh, Mingan, Natashquan, Mashteuiatsh (Pointe-Bleue) et Pakuashipi (Saint-Augustin) auxquels s'ajoutent trois villages attikamek : Manouane, Obedjiwan et Weymontachie. On note par ailleurs des chevauchements de territoires entre les différents groupes de chasseurs.

Deux moments distincts ponctuent le nomadisme traditionnel des Innu : la montée vers l'intérieur des terres à l'automne et la descente vers la mer à l'hiver. Le cycle nomade se déroule selon un déplacement progressif du sud au nord et du nord au sud. Si la chasse débute véritablement à l'automne, elle est planifiée à partir des rencontres estivales entre chasseurs-trappeurs. Lors de ces échanges, on fait circuler toutes sortes de renseignements ayant trait au territoire de chasse. Vers la mi-août, début de la deuxième saison, les Innu entreprennent officiellement la montée vers l'intérieur des terres. De plus en plus, ils ont recours à de petits avions pour parcourir ce trajet. Une fois rendus à l'endroit désiré, les Innu se divisent en fonction des familles apparentées ou ayant des territoires connexes. Ils transportent d'abord la nourriture, les outils et matériaux divers sur les canots, puis les passeurs reviennent chercher les familles.

« Napeuat pushtuashuat nte ututuast ». Les hommes transportent les choses dans leurs canots jusqu'au camp. Tiré de Suzie Mark, Journal de Suzie Mark, 9 ans, *production de la coordination des activités en milieux amérindien et inuit, Gouvernement du Québec, 1985.*

Durant la montée, les nomades saisonniers campent sur des sites qui sont entretenus depuis la nuit des temps. Des denrées sont suspendues dans des caches ou enterrées à l'abri des animaux ; elles demeurent toujours disponibles pour les voyageurs. Il peut s'agir de farine, de poudre à pâte, de saindoux, de thé, de tabac, de pipes, d'allumettes et aujourd'hui, tout particulièrement, de denrées sucrées comme la mélasse. De même, des objets utilitaires sont placés à des endroits stratégiques de façon à ce qu'ils soient retrouvés lors de la descente en hiver. Ce témoignage d'un Innu montre bien que la descente est planifiée dès la montée.

« Quand on monte vers l'intérieur, on réfléchit à l'endroit où l'on pense pouvoir revenir et on y laisse toujours de la nourriture. Et puis, quand on redescend à la côte et qu'on est à court de nourriture, on déterre les caches, si on en a laissées, et c'est ainsi que l'on peut manger quand on n'a pas de provisions. Quand nous avions de la nourriture en réserve, quand nous avions beaucoup de caribou dans les cas où nous avions beaucoup tué, quelques-uns d'entre nous laissaient leur farine dans les caches[4]. »

D'autre part, un décès ou une naissance peuvent changer la composition du groupe et sa répartition en sous-groupes. Les hommes voient au transport et à l'approvisionnement en nourriture ; les femmes s'occupent des enfants, de la cueillette, de la confection des vêtements et des mocassins, du bois de chauffage, de la cuisine et des tentes. Ces dernières aident aussi au transport et à la planification du contenu des caches pour la descente de l'hiver.

Au cours des déplacements continuels qui ont lieu à cette époque de l'année, on chasse le petit gibier : gélinotte huppée, porc-épic, lièvre et sauvagine. La chasse à l'ours et à l'orignal n'a lieu qu'en fonction du temps disponible pour atteindre le campement principal avant le gel. Lors du départ, le site est nettoyé de fond en comble afin de prévenir la malchance. L'installation sur le site de campement de chasse d'automne se fait impérativement avant le gel et le lieu

4 . Richard Domini-
que, *Le Langage de
la chasse. Cycle annuel
des Montagnais de
Natashquan*, Sillery,
Presses de l'Uni-
versité du Québec,
1989, p. 149.

Famille montagnaise de Pointe-Bleue.
Livernois Limitée, Archives nationales du Québec à Québec

identifié doit disposer de bois de chauffage, de lacs à poissons, d'accès aux endroits où se trouve le gros gibier. Il doit aussi permettre de rejoindre les autres groupes.

Une fois sur place, les Innu montent leurs tentes, se mettent en quête de gibier et posent des lignes de trappe. Les tentes sont souvent faites d'une toile carrée bien que certains nomades préfèrent les camps en bois rond ou carré, ou en rondins recouverts de toile. Le stockage du bois de chauffage est vital pour la survie du groupe durant les grands froids. Les chasseurs, qui ont laissé leurs familles au campement principal, utilisent des campements satellites avec des tentes de toile carrée qui serviront d'abris temporaires.

Au début de la chasse d'automne, l'orignal et le caribou sont les principaux gibiers, mais leur présence demeure essentielle lorsque vient le moment de la chasse des animaux à fourrure. Le piégeage a lieu près des points d'eau avant le gel (castor, loutre, vison) et dans les endroits boisés après le gel (martre, lynx, hermine, loup).

Voici comment un Innu de Mingan s'y prend pour piéger un castor.

« La façon la plus efficace pour prendre un castor, c'était au filet. J'ai souvent fait ça, moi. Il fallait barrer un coin de lac, la baie de la décharge, là où le castor aime faire sa cabane. Comme pour la loutre, il faut diriger le castor vers le filet. On lui faisait un chemin avec des rangées de piquets.

Il fallait fabriquer le filet la nuit parce que c'est la nuit que le castor travaille. Le jour, il dort et il rêve au filet qu'on a fait pour lui. Les Anciens disaient cela et je pense bien que c'est vrai[5]. »

5. Mathieu Mestokosho, *Chronique de chasse d'un Montagnais de Mingan*, écrit et édité par Serge Bouchard, ministère des Affaires culturelles, Québec, 1977, p. 118.

CHANSON POUR CASTORS

C'était de cette façon que je

commençais à fredonner une chanson

pour les castors.

C'était un nouveau souffle de vie.

Ô… Créateur, Esprit de sagesse.

Ô… *Amiskw, witcihici kitci kiskerimitan.*

Accepte ma mélodie.

Mocak ki nakamohitin.

Pour le respect que je ressens.

Aka onikacik.

C'était un couplet que j'avais

dans mon bagage pour la chasse.

Je le chanterai, lorsque j'accrocherai

les ossements sur la branche de *Asati.*

Amiskw, witcihici kitci kiskerimitan : Castor, aide-moi à te connaître.

Mocak ki nakamohitin : Je te chanterai toujours.

Aka onikacik : Ne l'oubliez pas.

Asati : Tremble.

Charles Coocoo, *Broderies sur mocassins*, Chicoutimi, Éditions JCL inc., 1988, p. 50.

Tout le monde participe à la chasse, car il existe une forme de transmission du savoir accessible à tous les membres de la communauté. Un campement de chasse peut regrouper trois ou quatre familles et les tâches sont souvent réparties comme suit :

«Le soir, parfois avec les femmes et les enfants, nous nous allongions dans la tente. On se reposait un peu. Mais, le lendemain, avant que le soleil ne se lève, le travail reprenait. Chez nous, nous aidions les femmes pour le bois de chauffage, nous faisions la visite de leurs collets.

Car les femmes avaient beaucoup à faire.

Elles cuisaient la nourriture, réparaient le linge, le faisaient bouillir pour le laver, s'occupaient des enfants et des vieux. Elles nettoyaient les peaux des animaux à fourrure. En plus, elles chassaient et pêchaient. Elles n'arrêtaient jamais et souvent n'avaient pas le temps de manger comme il faut[6]. »

RECETTE DE LA BANNIQUE
Ingrédients

1 litre de farine	25 ml de poudre à pâte
(4 tasses)	(2 c. à table)
10 ml de sel	375 ml d'eau
(2 c. à thé)	(1 1/2 tasse)

Préparation

Mélanger les ingrédients sec et faire un puits. Ajouter 375 ml d'eau au centre du puits. Avec une cuillère, ramener progressivement toute la farine vers le centre. Pétrir la pâte avec les mains en la saupoudrant légèrement de farine. Abaisser la pâte à environ 4 cm (1 1/2 po). Chauffer le four à 200 °C (400 °F). Réchauffer au four une plaque à biscuits et y déposer la pâte. Cuire pendant une demi-heure et manger avec du beurre.

Paul Provencher, *Archives nationales du Québec à Québec*

Par ailleurs, le lièvre et le gros gibier sont tués à l'arme à feu ou encolletés. Les gallinacés sont encolletés. Occasionnellement, l'ours et le lièvre peuvent être chassés avec des trappes en bois. Les animaux à fourrure sont pris dans des pièges en métal, des trappes en bois ou tués avec une arme à feu. Le gros gibier subit ensuite l'écorchement ouvert. Les peaux servent à l'usage domestique, à l'artisanat ou au commerce. Les restes des caribous, castors et orignaux ne sont jamais jetés et font

6 . *Ibid.*, p. 105.

l'objet d'une attention spéciale, car ces animaux sont sacrés et leurs restes ne peuvent être profanés.

La descente et la chasse d'hiver constituent une transition entre le campement principal d'automne et celui de l'hiver que l'on atteint vers la mi-décembre. Les caches placées durant la montée de l'automne sont repérées. Durant cette troisième saison, les différents groupes se rencontrent et en profitent pour échanger.

« Le campement principal d'hiver près de la mer demeure l'occasion de revoir la plupart des autres membres de la communauté et d'é-changer nouvelles et infor-mations. Ainsi, on relate les résultats de la chasse d'au-tomne, on fait mention de la localisation de colonies de castors ou de troupeaux de caribous et de l'emplacement de certains objets et denrées sur le territoire. Ces rensei-gnements permettent de faire le point sur l'état des dif-férentes zones de chasse ; les responsables apprennent avec précision quelles portions du territoire furent exploitées durant l'automne. De plus, c'est peut-être aussi l'occasion pour certains de faire des invitations en vue d'un futur groupe de chasse d'automne. Toutefois, pour ceux qui sont restés à l'intérieur des terres, ce magasinage et cet échange d'informations ne seront possibles que plus tard, lors de leur retour à la côte[7]. »

Les déplacements vers les campements d'hiver et de printemps exigent de longues marches.
Longeville, Publiphoto

7. Richard Dominique, *Le Langage de la chasse. Cycle annuel des Montagnais de Natashquan*, Sillery, Presses de l'Université du Québec, 1989, p. 161.

Durant la période des Fêtes, les chasseurs se regroupent près de la mer et font le tour des commerçants pour y écouler leurs fourrures. Après avoir acheté des denrées, les chasseurs rejoignent leurs familles demeurées dans le campement principal. Pour ceux qui sont restés à l'intérieur des terres, ces échanges ont lieu plus tard. Après les Fêtes, les Montagnais ne trappent plus, mais ils s'adonnent à une chasse de subsistance (caribous, lièvres) et à la préparation du bois de chauffage. Un chasseur témoigne ici de l'importance de cette chasse, notamment celle du caribou.

« Dans le bois, je l'ai dit souvent, il ne fallait pas s'appuyer sur ses réserves de farine. Celui qui comptait là-dessus faisait une erreur puisque cela présageait la famine et la misère. C'est la chasse qui nourrit. On doit toujours penser aux jours difficiles qui viendront peut-être. Alors il faut chasser sans arrêt et se faire des réserves de viande[8]. »

« Nous essayions de prévoir le prix des fourrures, parce que nous avions dans l'idée de tuer assez d'animaux à fourrure pour payer ce qu'on devait au marchand à Mingan.

Mais pour avoir des provisions, il fallait tuer des animaux à fourrure. Pour tuer ces animaux à fourrure, il fallait d'abord tuer des caribous. C'était le caribou le plus important. Sans le caribou, personne n'aurait eu la force de travailler comme on le faisait.

Le caribou donne de la force, du courage. Il est difficile à trouver. Mais il faut le trouver. Les familles se décourageaient faute de trouver le caribou[9]. »

Vers la mi-février, les chasseurs reprennent le trappage intensif. La chasse d'hiver-printemps dure jusqu'à la mi-avril et constitue une quatrième saison. Les groupes descendent vers la mer, chassent et trappent le long des rivières. Ceux qui sont déjà revenus à la mer en janvier repartent à l'intérieur des terres en laissant parfois leurs familles sur les rivages. Au début, les nomades saisonniers chassent le caribou pour fabriquer les raquettes de printemps. Puis, ils trappent le lynx, la martre et le vison. Lors de la chasse printanière, cinquième saison qui dure de la mi-mai à la mi-juin, les chasseurs retournent à l'intérieur ou demeurent sur les côtes selon le gibier recherché. Vers le mois de mai, ils circulent en canot ou en chaloupe à moteur avec les fourrures. Il n'y a pas de campement principal, car les équipes ne sont formées que de

8. Mathieu Mestokosho, *Chronique de chasse d'un Montagnais de Mingan*, écrit et édité par Serge Bouchard, ministère des Affaires culturelles, Québec, 1977, p. 106.

9. *Ibid.*, p. 115.

Pendant la période de la récolte des petits fruits, plusieurs familles se regroupent pour pratiquer la cueillette sur une base commerciale. Les fraises, les chicoutés, les framboises, les bleuets et les noisettes seront vendus aux différentes coopératives.
Claudette Fontaine , coll. MEQ

deux à quatre hommes. Les différents groupes se rencontrent alors et échangent des renseignements.

De la mi-juin à la mi-août, lors de la sixième saison, les Montagnais s'adonnent à de nombreuses activités : règlement des comptes en souffrance chez les différents marchands, pêche au saumon, chasse au loup–marin, travail salarié occasionnel, artisanat, préparation de la montée automnale (réparation et construction de canots, négociation de la marge de crédit, préparation de remèdes traditionnels à emporter). Ces nomades saisonniers en profitent également pour se confesser, se marier, baptiser leur progéniture et célébrer. Puis, le départ vers l'intérieur des terres annonce le début d'une nouvelle année.

UN CONSEIL, DES CROYANCES

Si les Innu pratiquent encore une certaine forme de nomadisme, les conditions sociales ont considérablement transformé le mode de vie traditionnel. Différents facteurs dont la scolarisation obligatoire ont joué un rôle déterminant dans ces transformations. Par exemple, les enfants qui fréquentent l'école suivent moins leurs familles à la chasse et les femmes ont tendance à rester au campement permanent avec eux, ce qui a pour effet de séparer les familles ou de réduire les saisons de chasse. En ce qui a trait à l'organisation du village, les Montagnais élisent un conseil de bande qui a pour mandat de gérer la vie interne de la communauté sur les plans politique, social et économique. Le conseil est également responsable de la gestion des sources de revenus provenant des organismes gouvernementaux.

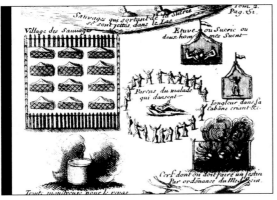

Détail d'une des cartes publiées dans Louis Armand de Lom D'Arce, baron de Lahontan, Nouveaux voyages de Mr le Baron de Lahontan, dans l'Amérique septentrionale [...], *tome premier, La Haye, Chez les Freres (sic) Lhonoré, Marchands Libraires, M.DCCIV (1704).*
Bibliothèque nationale du Québec, Montréal

Depuis 1975, les Montagnais et les Attikamek ont mis sur pied le conseil attikamek-montagnais. Ce regroupement a entrepris une négociation tripartite pour des droits territoriaux depuis 1980. Comme corporation légalement enregistrée, le conseil a une mission sociale, économique et culturelle, et représente les intérêts des trois bandes attikamek et des neuf bandes montagnaises.

Le mode de vie montagnais présente des aspects tout à fait particuliers. Ainsi, l'emplacement des tentes dans les campements dépend des saisons et de l'organisation interne du groupe.

D'autre part, un certain nombre de croyances et de rituels sont liés à la pratique du nomadisme. Ces croyances touchent profondément la nature et les rapports entre les hommes et les animaux, notamment par la valorisation de la relation entre le chasseur et l'animal. À cet égard, le rituel de la tente tremblante ou tente agitée est particulièrement fascinant.

Un vieux sorcier, parfois appelé «jongleur», se retire sous la tente pour entrer en contact avec les êtres surnaturels et les maîtres des animaux. La tente, de forme conique, est alors secouée violemment et on peut y entendre le sorcier s'entretenir avec les esprits. La construction de la tente suit un procédé bien particulier et secret. Outre la manifestation des esprits, la tente est construite selon un certain symbolisme

TENTES EN MOUVEMENT

De ce mode d'occupation de l'espace, deux éléments sont à retenir : l'aller-retour entre la forêt et la rivière, et la composition relativement stable des moitiés. Si la forêt protège du vent d'hiver, le vent est plutôt recherché en été pour combattre les moustiques, véritable fléau. Mais au-delà de ces raisons évidentes, le mouvement d'aller-retour des tentes reproduit, à échelle réduite, les anciennes migrations, à fonction essentiellement économique et sociale : poursuite du gibier en hiver par des petits groupes multifamiliaux exogames, rassemblement de ceux-ci en été à l'embouchure des rivières pour les échanges de services, de biens et de conjoints.

Rémi Savard, *Le Rire précolombien dans le Québec d'aujourd'hui*, Montréal, L'Hexagone/Parti Pris, 1977, p. 33.

décrit par la course du soleil qui délimite un secteur du dessus ou du haut et un secteur du dessous ou du bas, le haut correspondant au sud et le bas au nord. Le sud représenterait le milieu du jour et le nord, la nuit, tandis que l'est serait le soleil levant et l'ouest, le soleil couchant. Les êtres mythiques provenant du haut sont favorables alors que ceux du sud sont terrifiants et maléfiques. L'officiant ou jongleur serait en position médiane. Les esprits considérés comme bons se présentent lorsque l'officiant se tourne du lever au coucher du soleil (d'est en ouest) et les méchants esprits se présentent du côté de la nuit (du nord). Les maîtres des animaux signalent leur présence en frappant sur les parois de la tente et leur langage parlé est perçu par l'homme comme un bruit (tonnerre, eau, cri du hibou).

Par ailleurs, le rituel de la tente à suerie a pour but d'attirer le caribou et d'assurer une bonne chasse. Des tiges souples et recourbées forment une coupole et sont recouvertes d'une toile épaisse ou de grosses couvertures de manière à rendre la tente le plus hermétique possible. On y place des cailloux chauffés au préalable à l'extérieur. C'est un officiant qui a la mission de diriger la suerie. Chaque participant s'accroupit la tête sur les genoux orientés vers le centre. L'officiant verse l'eau sur les cailloux. La vapeur dégagée devient intense et peut soutirer la maladie à une personne souffrante.

CELUI QUI VOIT L'AUTRE MONDE

Quand le jongleur entre à quatre pattes, il aperçoit au centre un lac où se mire le ciel, bien que la tente soit hermétiquement fermée. Puis il reste immobile, étranger aux tremblements, mais toujours en éveil. Sa prière initiale attire les esprits qui hantent les plantes, les animaux, l'air, l'eau, les rochers. À l'appel, ils surgissent, isolément ou par groupes, et leur entrée est marquée par un claquement de la paroi. Les esprits se posent sur les cerceaux ou ailleurs. Des milliers se donnent rendez-vous dans l'espace exigu. Ils sont souvent aussi petits que des mouches, en dépit de leur voix forte. Le sorcier voit les esprits et les reconnaît. Malgré leur taille minuscule, ils revêtent souvent des formes humaines. L'auditoire les reconnaît à des signes distinctifs : ainsi l'esprit de l'ours promène sa patte sur la paroi, et les spectateurs distinguent nettement la trace de ses griffes sous la toile. L'officiant peut suggérer aux esprits, venus de lointains villages, d'amener avec eux l'âme d'une personne dont on désire des nouvelles, et le messager s'acquitte de la mission à l'insu de l'intéressé. Pendant toute la cérémonie, le jongleur accroupi reste silencieux, sauf pour la prière initiale et de rares apartés. Les esprits ne parlent pas par sa bouche, ni ne pénètrent en lui. Les chants, les dialogues, les incantations sont leur œuvre et débutent généralement dans une langue inconnue des vulgaires mortels et des autres shamans. L'officiant comprend ses propres esprits, mais ne traduit pas leurs messages, laissant la tâche à un esprit interprète, qui s'en acquitte lorsque l'assistance en demande la traduction. Cet interprète de l'autre monde est le prototype des traducteurs consécutifs. « Alors que les esprits ordinaires parlent un langage couvert, me dit en français Siméon Raphaël, l'esprit interprète, lui, parle franc comme nous autres. »

Jacques Rousseau, *Rites païens de la forêt québécoise*, Cahiers des Dix, Montréal, Les éditions des Dix, n°s 18 et 19, 1955, p. 135-136.

Deux personnages mythiques habitent l'univers des Montagnais : Carcajou et Tshakapesh. Carcajou est un rusé. Il est prétentieux, gourmand et maladroit. Il serait formé de plusieurs parties assemblées provenant d'animaux divers. Carcajou vole les denrées des caches ainsi que les appâts placés dans les pièges. On ne peut consommer sa chair. Tshakapesh, lui, est doté de pouvoirs chamaniques.

Le carcajou : un animal mythique.

Une autre pratique caractérise le mode de vie des Montagnais : la scapulomancie sur des omoplates de caribou, de castor, d'orignal, de porc-épic ou de lièvre. Cette pratique divinatoire permet aux chasseurs de découvrir les lieux fréquentés par les différentes espèces. Ainsi, toutes ces manifestations dénotent une profonde observation de la

ÉTRANGE CHAMANE...

Tshakapesh est un personnage étrange muni de pouvoirs chamaniques dont celui de modifier sa taille à volonté, et qui semble s'être donné pour mission d'exterminer les cannibales. Dans les quatre récits recueillis à N.W.R., les gens à qui il va rendre visite le désignent par le terme *mantew*, que les traducteurs rendent plus ou moins justement par l'« étranger ».

La croissance de Tshakapesh se fait rapidement et par bonds, n'obéissant en rien aux rythmes normaux, comme d'ailleurs sa naissance prématurée et irrégulière. Cette caractéristique du personnage pourrait bien offrir une indication de son rôle comme régulateur du temps.

Rémi Savard, *Carcajou ou le sens du monde : récit montagnais*, Québec, Éditeur officiel du Québec, 1971, p. 18.

nature et traduisent bien les rapports sociaux de chasse des nomades montagnais.

DES ACTIVITÉS, DES ENTREPRISES

Pour les Montagnais, les activités traditionnelles comme la pêche, la chasse, la cueillette et la coupe du bois sont considérées comme des emplois même si ceux-ci ne sont pas toujours rémunérés. Par ailleurs, les emplois saisonniers dans les usines de transformation du poisson permettent aux Montagnais de poursuivre pendant le printemps et l'automne leurs activités traditionnelles.

La sédentarisation a également donné lieu à la création de petits commerces et d'entreprises privées. Les animaux chassés sont, par exemple, utilisés au maximum et les activités économiques demeurent largement composées de la vente ou de la transformation des produits de la chasse, de la trappe (fourrure, artisanat, tannerie) et de la cueillette de petits fruits. Quelques communautés disposent même d'entreprises de services publics : un terrain de camping et un musée à

Le groupe Kashtin au festival Innu Nikamu en 1987.
Bernard Duchesne, coll. SAA

Mashteuiatsh (Pointe-Bleue), différents commerces à Betsiamites, un service de traduction et une troupe de danse à Maliotenam, une usine de transformation appartenant au conseil de bande à Mingan.

L'apparition des programmes sociaux, la scolarisation obligatoire ainsi que l'occupation des terres par des compagnies forestières, minières et hydro-électriques ont considérablement changé la vie des Montagnais. Les réserves, la construction de maisons, d'écoles, de dispensaires et de pistes d'atterrissage, l'électricité et le téléphone sont autant de moyens qui ont favorisé la sédentarisation de ces nomades saisonniers.

Désormais, la réserve est le lieu où la communauté s'organise ; la chasse et le piégeage sont intégrés à un cycle annuel plus complexe influencé par des facteurs socio-économiques modernes : le pouvoir d'achat, la marge de crédit disponible, le travail salarié saisonnier ou non, l'aptitude à chasser l'animal le plus en vue sur le marché des fourrures. La récolte, traditionnellement variée et constante, devient liée aux fluctuations du marché. Les transports motorisés, qui permettent de retourner rapidement à la réserve, et la pratique de la chasse avec un emploi salarié modifient complètement le rythme de vie des familles : les hommes espèrent fréquenter le plus souvent possible les territoires de chasse et de trappe tout en occupant des emplois salariés saisonniers, les femmes ont des besoins de plus en plus liés à la sédentarité et les jeunes veulent correspondre aux modèles enseignés à l'école ou véhiculés par les médias.

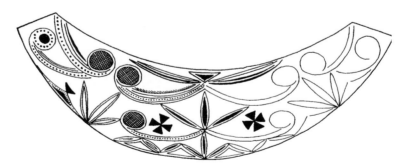

6

Aujourd'hui, les nomades...

Femme wodaabe arborant une coiffure et des parures traditionnelles. Considérés par les autres membres de leur communauté culturelle et linguistique comme un groupe primitif aux coutumes païennes et archaïques, les Wodaabe préfèrent l'isolement et l'éloignement.
Alain Saint-Hilaire

La problématique actuelle des nomades ressemble à celle des peuples indigènes. Autrement dit, on y retrouve bien des similarités, les particularités nomades n'étant souvent que des variations de la problématique générale. Par exemple, les nomades, sans être émigrés, sont devenus des minorités ethniques et culturelles au sein de leur propre territoire. De plus, ils ont peine à conserver leur territoire traditionnel, car ils n'ont plus le contrôle des ressources naturelles, celles-ci étant généralement gérées par l'État qui les gouverne. D'autre part, ils doivent négocier avec un ou plusieurs États qu'ils reconnaissent la plupart du temps comme étrangers et indifférents, voire même hostiles à leurs besoins. Enfin, ils souhaitent conserver des traits culturels distincts de ceux des sociétés environnantes tout en participant au bien-être général, ce qui peut paraître à plusieurs points de vue contradictoire.

UN TERRITOIRE À DÉFENDRE

Dans les États modernes, les sociétés nomades subsistent souvent au prix d'une marginalisation qui prend de plus en plus une coloration folklorique liée à la persistance de traditions désuètes et archaïques. Leur territoire étant souvent de juridiction nationale, ces peuples doivent assumer des décisions relatives au développement des ressources jugées incompatibles avec leur style de vie. On assiste donc de plus en plus à des revendications territoriales qui remettent en cause la valeur des décisions prises par les gouvernements au niveau des tribunaux internationaux. Les groupes indigènes bénéficient ainsi d'une couverture publique mondiale qui leur attire des sympathies et entraînent des pressions morales et politiques sur leurs dirigeants. Les revendications sámi (1979 à 1981) en sont un exemple patent. Visant à bloquer un projet hydro-électrique sur «leurs» terres, des groupes de contestataires ont réussi à soulever l'opinion mondiale pour enfin atteindre le but visé : conserver leurs terres vierges d'interventions technologiques jugées dangereuses pour l'environnement. Ce type de démarche ayant été bénéfique, d'autres groupes de pression indigènes utilisent des voies similaires, que ce soit pour empêcher des réalisations hydro-électriques, atomiques ou minières.

L'accident de Tchernobyl semble confirmer la justesse de la prudence sámi. Excepté les populations immédiates, ce sont les Sámi qui ont le plus souffert de l'accident atomique de 1986. Les conditions climatiques ont en effet rejeté de grandes quantités d'éléments radioactifs sur les pâturages sámi, contaminant les lichens et les plantes. Dans certains districts, des bêtes ont été jugées dangereuses pour l'alimentation pendant un an environ ; ce qui a été catastrophique pour l'économie locale. Le gouvernement a dû intervenir pour aider les familles éprouvées, mais l'insécurité s'est installée dans cette communauté, malgré tout petite et fragile.

UNE ÉCOLOGIE À PROTÉGER

Les problèmes écologiques constituent en effet l'un des plus grands défis imposés aux nomades contemporains. Si le cas du Sahel nous vient immédiatement à l'esprit lorsque l'on parle de cataclysme, de sécheresse et de famine, la réduction des terres de pâturage au profit des terres agricoles se révèle aussi un problème de taille. L'appétit toujours croissant des sociétés industrielles, appuyé sur des développements technologiques sans précédent, s'apaise souvent aux dépens de terres jadis inutilisables pour la culture. Rappelons brièvement le cas du Kazakhstan, où non seulement le programme de mise en valeur des terres vierges, élaboré par le gouvernement soviétique au début des années 1950, priva-t-il les nomades de vastes steppes pour faire paître leurs troupeaux, mais modifia profondément les itinéraires traditionnels des migrations. Or, lorsque l'on sait que ceux-ci «appartiennent» à des groupes de familles et que les trajets sont organisés de façon à éviter les conflits entre pasteurs, on voit l'importance politique de cette modifi-cation. À cela devaient s'ajou-ter les travaux d'irrigation pour la culture intensive du coton qui ont transformé encore plus radicalement le système écologique. L'utilisation désordonnée de l'eau pour la culture a en effet entraîné une diminution spectaculaire du niveau de la mer Aral qui s'est vue réduite à la moitié de sa superficie originelle. Des sols marins ont ainsi été mis à nu et exposés aux vents, ce qui provoque encore aujourd'hui des tempêtes de sel, détériore les anciens pâturages et modifie les conditions climatiques.

Dans cette brousse du Sahel où l'harmattan souffle à travers de frêles épineux, le bétail assoiffé se laisse guider par le pasteur toujours en quête d'un puits ou d'un peu d'herbe fraîche.
Alain Saint-Hilaire

Les conditions extérieures ne sont pas les seules res-ponsables de la détérioration des conditions écologiques. Ainsi, les spécialistes insistent sur la désertification intérieure du Sahel occasionnée, entre autres, par le surpâturage et la pression démographique. L'une des premières régions du Sahel à subir ces effets a été celle du bassin de la rivière Niger. Cette vallée, perçue par les Français comme un «second

Nil », devait subir les assauts d'une politique de « mise en valeur » qui a entraîné l'accroissement de la population locale. Les effets de cette montée démographique ont été désastreux. La déforestation, le surpâturage, l'insuffisance de jachère ont permis au désert d'envahir le Sahel de l'intérieur. Ce processus, observé dès 1938, s'est intensifié pendant la période coloniale et post-coloniale : la politique de développement des terres ne tenait pas compte de l'acquis et de la connaissance des pasteurs. Sans affirmer que la vie pastorale pré-coloniale a été paradisiaque, il n'en demeure pas moins que la facilité d'adaptation de ces populations ainsi que la rapidité avec laquelle elles variaient leur utilisation du sol en passant du pâturage à l'agriculture permettaient à une écologie fragile et précaire de se renouveler. On peut actuellement penser que la crise du Sahel est récurrente et permanente, des ressources essentielles ayant été détruites et l'écologie transformée.

En 1988, la Fédération québécoise pour le saumon atlantique soulignait les efforts de préservation de la bande de Mingan en leur remettant la bourse de la fondation François-de-B.-Gourdeau. L'ensemencement de la rivière Mingan et l'arrêt de toute pêche pendant plusieurs années auront permis de sauvegarder la richesse de ce territoire.
Claudette Fontaine, coll. MEQ

Le système politique extérieur n'est pas toujours responsable de la détérioration des pâturages. Ainsi, le phénomène de surpâturage observé au Sahel se produit également chez les Sámi. Ces derniers, bien intégrés dans la société de consommation actuelle, exigent trop de leur terre. Dans le seul district de Kautokeino, au cœur du pastoralisme norvégien, le nombre de tête de rennes est passé de 50 000 en 1976 à plus de 100 000 en 1991. La détérioration des pâturages par la surexploitation produit un cercle vicieux : elle entraîne une diminution du poids des animaux, ce qui conduit les pasteurs à accroître leur troupeau pour obtenir un revenu égal, et à trop utiliser les pâturages. La solution à ce problème est loin d'être évidente, mais «l'Administration des éleveurs de rennes», organisme sous la juridiction du ministère de l'Agriculture, met en place des stratégies de préservation des pâturages qui ont eu des résultats bénéfiques ailleurs, entre autres au sud de la Norvège. Ainsi, par l'amélioration des techniques de contrôle génétique et par une sélection plus rigoureuse des bêtes, plus d'animaux peuvent être abattus chaque année, notamment durant l'hiver, ce qui permet à ceux qui restent de mieux se nourrir, de grossir et ainsi d'être plus profitables au printemps.

UN MONDE À REFAIRE

Les problèmes écologiques ne doivent pas faire oublier les difficultés d'ordre politique. Elles y sont, la plupart du temps, inextricablement liées comme on l'a vu pour le cas du Sahel. Les nomades font souvent partie de minorités ethniques qui sillonnent plus d'un pays, n'ayant d'attache «nationale» nulle part. Or, les grandes conventions internationales sur les droits des hommes ne tiennent pas compte des personnes vivant à l'extérieur des États nations. Les déshérités du monde entier sont protégés par ces conventions lorsqu'ils «appartiennent» à une nation. Les autres doivent trouver des solutions originales. Par ailleurs, il est difficile de discuter avec un État organisé lorsque l'on accuse une faiblesse à la fois physique, démographique et économique. L'exemple des Sámi ne peut servir qu'aux plus forts et aux mieux organisés, les autres doivent souvent s'en remettre à l'Aide internationale, surtout en cas de crise, ce qui risque d'accroître leur dépendance, ironie du sort pour ceux dont la vie entière tourne autour du concept de liberté et d'indépendance.

De plus, les structures intérieures des systèmes sociaux ont été élaborées par la transformation du système économique nomade. On a vu plus tôt que le nomadisme constituait un genre de vie au sein duquel s'imbriquaient une organisation sociale, une économie et une culture. Or, les bases du système économique ayant été durement secouées par les crises et les innovations technologiques, l'ensemble de l'édifice se lézarde sérieusement.

C'est au centre nucléaire de Semi-palatinsk, au Kazakhstan, que se sont produits les premiers essais nucléaires soviétiques en août 1949. Ce centre est aujourd'hui fermé.
Alain Nogues, Sygma/Publiphoto

Ainsi, distribuées en Asie centrale et en Afrique du Nord, des civilisations hautement développées, basées sur la domestication du cheval et du dromadaire, ont très tôt été en contact avec des sociétés étatiques et urbaines (depuis deux millénaires au moins dans le cas de l'Eurasie), et ont joué un rôle fondamental dans les échanges entre ces sociétés. Hiérarchisées et centralisées, ces civilisations ont connu la formation d'États puissants et de grands empires (Huns, Turcs, Mongols, Maures et Arabes, etc.) fondés sur le commerce et les conquêtes. Avec la technologie moderne, surtout le transport ferroviaire ou routier par courrier, les caravanes de chameliers ont été remplacées et la fonction commerciale s'est vue réduite aux besoins essentiels des communautés locales. Avec elle s'est envolée la nécessité de troupes de défense et, il va sans dire, d'attaques bien organisées sous un commandement fort. Les chefs ont perdu du prestige et de la valeur, la stratification hiérarchique s'est modifiée pour finalement s'effondrer. Dans certains cas où la richesse semblait vouloir prendre la place de la noblesse, comme chez les Kazakh, le gouvernement y a mis un terme.

Aujourd'hui, il ne subsiste de ces groupes fortement hiérarchisés et organisés que des traces. Groupes marginaux et isolés ayant pour la plupart troqué l'élevage pour de piteux salaires d'ouvriers ou encore pour des représentations d'ordre touristique. Certaines classes ont cependant pu s'adapter comme les marabouts, groupes de savants touareg, qui ont été utilisés au cours de la période coloniale comme intermédiaires et qui font encore fonction aujourd'hui de courroie d'information et de transmission des connaissances entre le monde des nomades et celui des sédentaires. Dans la fonction publique nigérienne par exemple, on retrouve de nombreux Touareg issus de la classe maraboutique, qui mettent en place et appliquent les politiques du pays, celles qui visent le bien-être des groupes nomades dispersés sur le territoire, comme celles, plus générales, qui voient à la bonne marche du pays.

TOUT COMPTE FAIT

À la lumière de récentes données archéologiques et ethnologiques, il est devenu évident que le nomadisme pastoral ne pouvait survivre sans les sédentaires et les agriculteurs. En fait, le nomadisme s'intégrait à un ensemble en produisant des biens agricoles et artisanaux et en favorisant leur circulation. Des études révèlent en effet que les sociétés nomades pastorales présentaient des voies originales, mais que leurs formes d'organisation sociale et économique ne pouvant exister de façon isolée réalisaient plutôt une symbiose avec les sociétés rurales et urbaines. Leur attitude face à l'exploitation du domaine naturel se révèle fort respectueuse et il n'est pas impossible que nous devions encore avoir recours à certaines de leurs propositions.

Deux jeunes Innu à la radio locale. Aujourd'hui, les Innu sont intégrés à la société québécoise et les médias font partie de leur vie quotidienne.
Brigitte Lemay

Annexe

LES NOMADES VUS PAR...

Diverses perceptions glanées ci et là dessinent une palette colorée du nomadisme. Quelques facettes en sont présentées.

GENGIS-KHAN

« Le ciel a abandonné la Chine à cause de son orgueil et du luxe excessif dans lequel elle vit. Quant à moi qui vis dans les déserts du Nord, je ne connais pas de passion. Je hais le luxe et je pratique la modération. Je n'ai qu'un vêtement et ne mange qu'une sorte de mets. Je me nourris comme mes gardiens de troupeaux et suis vêtu de même. Je considère mon peuple comme mon fils et les hommes de talent m'intéressent comme s'ils étaient mes frères. Nos principes sont les mêmes et nous sommes unis par une estime réciproque. Je marche toujours à la tête de mon armée et ne me tiens jamais en arrière au combat. En sept ans, j'ai accompli une grande œuvre et formé un empire... »

Franco Adravanti, *Gengis-Khan ; premier empereur du « Mirabile Dominium »*, Paris, Payot, 1987, p. 232-233.

POÈME KAZAKH

« *Sur la steppe s'est levée l'aube du bonheur*
« *Ses rayons éclairent brillamment la loi nouvelle, soviétique,*
« *La baï ennemi séculaire du peuple est*
« *Désormais jeté dans la ravin sans fond.*
« *J'ai vu le peuple libéré, par les chemins du labeur*
« *Aller vers l'abondance.*
« *J'ai vu les sourires sur les milliers de visages.*
« *Dans l'espace immense de la terre libérée.*
« *J'ai vu les troupeaux de juments des steppes*
« *Conduire vers nous leurs poulains*
« *J'ai vu les vaches vêler, les chamelles donner le jour*
« *J'ai vu naître dans les troupeaux ; j'ai entendu*
« *S'élever les chants... »*

G. Bouvard, *Au Kazakhstan Soviétique*, Moscou, Édition du Congrès, 1985, p. 100.

L'EXIL ET LE ROYAUME

À quelque distance de l'oasis seulement, près de l'oued qui, à l'occident, longeait la palmeraie, on apercevait de larges tentes noires. Tout autour, un troupeau de dromadaires immobiles, minuscules à cette distance, formaient sur le sol gris les signes sombres d'une étrange écriture dont il fallait déchiffrer le sens. Au-dessus du désert, le silence était vaste comme l'espace.

Albert Camus, *L'Exil et le Royaume* (La Femme adultère), Paris, Gallimard, 1957, p. 30-31.

LA VIE DANS UN DOUAR

Le douar ne comptait pas plus de quinze ou vingt tentes, ce qui représente à peine le plus petit des hameaux nomades ; mais il avait bien le rude aspect des vrais campements sahariens ; et, dans un très petit exemple, c'était, pour qui ne l'eût pas connue, un tableau complet de la vie nomade à ses heures de repos.

Des tentes rouges, rayées de noir, soutenues par une multitude de bâtons, et retenues à terre par une confusion d'amarres et de piquets. Dedans, et entassés pêle-mêle, la batterie de cuisine, le mobilier du ménage, le harnais de guerre du maître de la tente, les meules de pierre à moudre le grain, les lourds mortiers à piler le poivre, les plats de bois (sahfa) où l'on pétrit le couscoussou ; le crible où on le passe ; les vases percés (keskasse) où on le fait cuire ; les gamelles en alfa tressé, les sacs de voyage ou tellis ; les bâts de chameaux, les djerbi, les tapis de tente ; les métiers à tisser les étoffes de laine ; les larges étrilles de fer qui servent à carder la laine brute du chameau, etc.

Eugène Fromentin, *Un été dans le Sahara*, Œuvres complètes, collection nrs, Paris, Gallimard, 1984, p. 46 (éd. orig. 1857).

RÉCIT DE VOYAGE EN ASIE CENTRALE

Un Turcoman n'hésite guère à se jeter sur cinq ou six hommes de cette nation, et souvent il réussit à les emmener. « Que de fois, me disait un de ces nomades, les *esclaves à tête noire*, frappés de terreur, abandonnent leurs armes, demandent nos cordes et se garrottent mutuellement. Nous n'avons même pas à descendre de cheval, si ce n'est pour attacher le dernier d'entr'eux. »

Arminius Vambéry, *Voyages d'un faux derviche dans l'Asie centrale*, Paris, Édition abrégée par J. Belin de Launay, 1867, p. 43. (Traduit de l'anglais par E.-D. Forgues.)

DERNIERS POÈMES

Dans l'immense prairie, océan sans rivage,

Houles d'herbes qui vont et n'ont pas d'horizons,

Cent rouges cavaliers, sur des mustangs sauvages

Pourchassent le torrent farouche des bisons.

Leconte de Lisle, « La prairie » dans *Derniers poèmes*, Oeuvres de Leconte de Lisle, tome III, Paris, Éditions Les Belles Lettres, 1977, p. 276 (éd. orig. 1895).

PSAUME

Tu as déployé les cieux comme une tente, (...)

De Ton balcon, là haut, Tu arroses les monts

Et la terre se gorge à Tes outres célestes.

Psaumes, CIV.

Voyage en Orient

Rien n'est plus fantasque que ces jeunes Bédouines grimpant comme des singes avec leurs petits pieds nus, qui connaissent toutes les anfractuosités des énormes pierres superposées. Arrivé à la plate-forme, on leur donne un bakchis, on les embrasse, puis l'on se sent soulevé par les bras des quatre Arabes qui vous portent en triomphe aux quatre points de l'horizon.

> Gérard de Nerval, *Le Voyage en Orient*, tome 1, Paris, Garnier Flammarion, 1980, p. 283 (éd. orig. 1851).

Poème touareg

Tu n'as rien si tu ne possèdes pas la chamelle qui blatère,

Lorsqu'elle blatère, elle est traite pour les enfants,

Elle s'accroupit, on la trait à nouveau pour les invités,

Le lendemain matin, elle sera encore traite pour la pâte.

> Edmond Bernus, *Touaregs, Chronique de l'Azawak* (Éloge du lait), Paris, Éditions Plume, 1991, p. 71.

Récit de voyage en Asie centrale

Tels sont en général ces pasteurs, nomades et brigands, qui rendent à peu près impossibles les communications commerciales et les échanges de la civilisation entre la Perse et l'Inde, la Chine et la Russie. Avec leurs mœurs, leurs coutumes, leur sauvage indépendance personnelle, la royauté de chaque individu, ils forment un sujet d'étude d'autant plus précieux que c'est une espèce de monument resté presque intact depuis l'origine des temps historiques.

> Arminius Vambéry, *Voyages d'un faux derviche dans l'Asie centrale*, Paris, Édition abrégée par J. Belin de Launay, 1867, p. 50. (Traduit de l'anglais par E.-D. Forgues.)

Le nomadisme en Nouvelle-France

• Le nomadisme « est le malheur de cette nation ; je crois qu'ils sont descendus de Caïn ou de quelque autre errant comme lui ».

> Paul Lejeune, *Relation de 1637*

• [...] [leur] camp est si léger et si volant que s'ils voyaient qu'on les voulût jeter dans quelque contrainte quoique raisonnable, ils auraient plutôt jeté leurs tentes et leurs pavillons hors [de] la portée de nos canons, qu'on les auraient pointés et amorcés.

> Reuben G. Thwaites, *The Jesuit Relations and Allied Documents*, 11, p. 40.

L'architecture transportable

Aux yeux de beaucoup de peuples prétendus primitifs, c'est une habitude déplorable que celle que nous avons de déménager d'une maison ou d'un appartement à l'autre. En outre, l'idée de devoir vivre dans des pièces précédemment habitées par des étrangers leur semble aussi humiliante que de porter des vêtements de seconde main. Quand ils changent de résidence, eux, ils préfèrent construire une maison nouvelle, ou bien emporter leur propre maison.

> Bernard Rudofski, *Architecture sans architectes*, Paris, Chêne, 1969, p. 130

Glossaire

Quelques définitions...

Bannique
Nourriture traditionnelle des Innu, sorte de pain sans levure, qui est encore fort appréciée.

Chasseur-cueilleur
Expression qui désigne l'état d'une société qui prélève directement sa nourriture de la nature. À la différence des éleveurs et des agriculteurs, les chasseurs-cueilleurs n'exercent aucun contrôle direct sur la nature. Ils pratiquent la chasse, la pêche, la trappe ou la cueillette. Leur plus ou moins grande aisance dépend donc de la qualité de l'environnement. Le nomadisme est chez eux l'expression directe des alternances saisonnières, s'il y a lieu, et de la variation des richesses du milieu selon les époques.

Cure salée
Pâturage temporaire pour les troupeaux des Wodaabe et des Touareg, la cure salée fournit aux animaux les sels minéraux dont ils ont un urgent besoin. Elle a lieu à la fin de la période des pluies, moment où le sol, gorgé d'eau, rejette le sel enfermé depuis des mois par la sécheresse. La cure salée donne lieu à de grands rassemblements et à d'importantes fêtes.

Déprédation	Exploitation directe de la nature sans souci de retour ou de renouvellement. On appelle les peuples chasseurs–cueilleurs « déprédateurs », car ils vivent de l'exploitation directe de la nature, sans pratiquer l'agriculture ou l'élevage. Ces sociétés sont cependant très respectueuses des rythmes de la nature et veillent généralement à son renouvellement naturel. Bien que généralisé, le terme « déprédateur », employé pour désigner les sociétés de chasseurs–cueilleurs, n'est donc pas très approprié.
Douar	Agglomération de tentes disposées en cercle que les Arabes nomades installent temporairement.
Grand nomadisme	Le grand nomadisme, aussi appelé « de type bédouin », est fondé sur la domestication d'animaux de trait. L'utilisation des chevaux, des dromadaires ou des chameaux pour le transport sur de longues distances a permis aux nomades de jouer un rôle intermédiaire important entre les civilisations urbaines et étatiques qui les environnaient. Commerce, échanges et conquêtes militaires ont favorisé l'émergence des sociétés stratifiées et hiérarchiques caractéristiques du grand nomadisme. Les civilisations des steppes et les civilisations bédouines en présentent des exemples types.
Guérewol	Fête annuelle de grande importance pour les Wodaabe. C'est là que l'on procède aux fiançailles, mariages, échanges, etc. Elle a lieu au moment de la cure salée des animaux.
Iklan	Agriculteurs touareg au service des nomades. Traditionnellement, les Iklans étaient des esclaves. Aujourd'hui, ils sont devenus des hommes libres.

Itinérant Qui se déplace dans l'exercice de sa charge, de ses fonctions, sans avoir de résidence fixe, par opposition aux personnes et aux professions sédentaires*.

Jouze Hordes ou unités kazakh qui se formèrent aux XVe et XXIe siècles. Celles-ci se subdivisent en tribus.

Khan Chef de tribu kazakh. Il y a plus d'un niveau de khan. C'est pourquoi on peut parler du «grand khan» et de «petits khans».

Koumis Le koumis est un breuvage sacré chez les populations nomades des steppes d'Eurasie. Il est connu depuis des millénaires. Fabriqué à partir du lait fermenté des jeunes juments, il posséderait des pouvoirs curatifs et enivrants.

Marabout Intermédiaire dans la société touareg, la classe maraboutique se situe immédiatement au-dessous de la noblesse guerrière. Les marabouts sont des sages, détenteurs de la connaissance, en particulier des règles religieuses et politiques.

Nomadisme pastoral Mode d'exploitation du milieu végétal par l'intermédiaire de troupeaux mobiles d'espèces herbivores. Il est caractérisé par la durée et la régularité de la migration, qui s'effectue selon un rythme saisonnier, une exploitation successive de plusieurs régions ou de plusieurs paliers d'altitude, comportant parfois des variations d'amplitude, en raison de fluctuations climatiques. Ces mouvements sont adaptés à la disponibilité en eau et en pâturages. Les pasteurs nomades

---

* Les définitions suivies d'un astérisque proviennent de *Être nomade aujourd'hui*, Musée d'ethnographie, Neuchâtel, Suisse, 1979.

vivent dans des habitations mobiles et pratiquent parfois des cultures d'appoint*.

Nomadisme   Genre de vie impliquant des déplacements constants et une habitation mobile. Plus spécialement, il désigne un mode d'exploitation du milieu végétal et animal entraînant des déplacements continus, périodiques ou saisonniers de groupes humains en vue de l'acquisition de leur subsistance. Le terme de nomadisme s'emploie surtout pour les pasteurs et les chasseurs-cueilleurs*.

Pasteur   Celui qui fait paître le bétail, qui s'adonne à l'élevage et en vit*.

Pastoralisme traditionnel
ou de type prébédouin   Le pastoralisme prébédouin se caractérise par l'utilisation minimale des animaux de transport. Généralement de type égalitaire et non stratifié, ces sociétés, pourtant différentes à bien des égards, ont développé des traits communs liés à leur mode de vie. On peut compter parmi elles les éleveurs de renne, les montagnards et les pasteurs des savanes africaines. Les pasteurs nomades vivent dans des habitations mobiles et pratiquent parfois des cultures d'appoint.

Semi-nomadisme   Déplacements au-delà de son habitat fixe et permanent d'un groupe de pasteurs accompagnant ses troupeaux, lors de la migration saisonnière (été ou hiver). L'élevage nomade et les cultures sont associés*.

Sii'dà   Unité de base des pasteurs nomades sámi. Originellement, elle était composée de quelques familles réunies. Aujourd'hui, il s'agit plutôt d'un groupe de travail dont les membres n'ont pas nécessairement de liens familiaux.

Transhumance	Déplacements périodiques, définis et limités dans l'espace, des troupeaux entre leur lieu de résidence habituel (villages et non campements) et une région différente du point de vue climatique. Les troupeaux, de moutons surtout, sont accompagnés de leurs seuls bergers. L'agriculture joue presque toujours le rôle principal dans l'économie de l'environnement global*.
Yourte	Tente conique des nomades d'Asie centrale.

Quelques mots sur les …

Kazakh	Les Kazakh vivent sur un territoire de plus de 2,5 millions de kilomètres carrés, dont une large bande constitue une frontière avec la Chine. Traditionnellement pasteurs nomades, ils ont su très tôt utiliser le cheval, le chameau et le dromadaire à des fins de transport. Ils pratiquaient donc une forme de nomadisme appelée « grand nomadisme ». Leur origine est complexe et peu étudiée. Descendants de Gengis-Khan, les Kazakh seraient issus d'un mélange de tribus turques établies sur l'actuel territoire du Kazakhstan, dès le VIIIᵉ siècle, et de groupes mongols ayant envahi la région vers le XIIIᵉ siècle. Ils s'expriment aujourd'hui dans une langue appartenant au groupe turc, pratiquent un islamisme mélangé de croyances reliées au chamanisme et arborent des traits mongols. Quoique le nomadisme pastoral soit encore pratiqué par une partie de la population, ils sont en très grande majorité sédentaires.
Touareg	Les « Hommes bleus » du désert, tels qu'on les désigne parfois, sillonnent un territoire de plus de

2 000 kilomètres de long, qui s'étend du Sahara jusqu'à la zone soudanienne. Il touche l'Algérie, le Niger, la Libye, le Mali de Burkina Faso et le Nigeria. Descendants des guerriers garamantes, les Touareg sont de grands pasteurs nomades. Ils présentent une organisation sociale très hiérar-chisée qui s'étend de l'ancienne noblesse guerrière jusqu'à une classe servile appelée « Iklan ». Les Touareg utilisent une langue commune, ont une seule écriture et pratiquent l'islamisme. Cara-vaniers du désert, ils ont établi des liens commerciaux avec plusieurs États avec lesquels ils peuvent aussi entrer en conflit.

Wodaabe — Les Wodaabe sont des pasteurs traditionnels qui appartiennent au groupe linguistique Foulbé, aussi appelé « Peul ». Distribués au Niger, au Nigeria, au Tchad et dans la République centrafricaine, les Wodaabe entretiennent des rapports ambigus avec les autres groupes de Peuls, en majorité musulmans et urbanisés dans une assez large proportion. Communément dénom-més « Bororos » par ces derniers, terme méprisant signifiant « gens aux interdits » ou « proscrits », les Wodaabe sont considérés par les autres membres de leur communauté culturelle et linguistique comme un groupe primitif aux coutumes païennes. Quant aux Wodaabe, ils estiment au contraire avoir su conserver un mode de vie traditionnel supérieur à celui qu'ont adopté les autres Peuls.

Sámi — Les Sámi, aussi appelés « Lapons », occupent une large bande territoriale qui couvre le nord de la Norvège, de la Suède, de la Finlande et de la Russie. Cette bande s'étend donc de l'océan Atlantique à la péninsule Kola. Zone de toundra et de taïga, cette étendue est caractérisée par une concentration d'espèces animales et végétales qui, ailleurs dans les autres territoires arctiques, s'étendent sur une surface beaucoup plus vaste. Malgré cette abondance, la source alimentaire la plus stable se situe le long des côtes, là où se retrouvait naturellement la majorité de la population sámi. Les Sámi sont des pasteurs traditionnels qui font l'élevage du renne. Aujourd'hui, environ 10 % de la population s'adonne encore à cet élevage. Les « Sámi du renne », tels qu'ils se désignent, quoique peu nombreux, bénéficient d'un statut social élevé, car ils perpétuent la culture sámi traditionnelle, même si l'élevage est devenu une véritable industrie.

Innu Les Innu, mieux connu sous le nom de « Montagnais », vivent au Québec. À l'origine, leur territoire s'étendait de Québec jusqu'à l'est de la péninsule du Labrador, sur une surface de plus de 500 000 kilomètres carrés. Traditionnellement chasseurs–cueilleurs, ils se déplaçaient sur d'immenses territoires en fonction des alternances saisonnières et des fluctuations thermiques. Ils représentent, dans leur mode d'exploitation du territoire, l'une des formes les plus complètes d'adaptation à la nature. Aujourd'hui, en majorité sédentaires, ils continuent de pratiquer une certaine forme de nomadisme saisonnier.

Pour en savoir plus

Peu d'ouvrages de synthèse présentent un véritable intérêt. Certaines monographies sont par contre devenues des classiques du sujet. En voici quelques-unes :

ASAD T. *The Kababish Arabs : Power, Authority and Consent in a Nomadic Tribe*, Hurst, Londres, 1970.

BARTH, F. *Nomads of South Persia, The Basseri Tribe of The Khamseh Confederacy*, Oslo University Press, 1961, 161 p.

BRILL OLCOTT, M. *The Kazakhs*, Hoover Institution Press, Stanford University Press, Stanford, California, 1987, 341 p.

DUPIRE, M. *Peuls nomades, étude descriptive des Wodaabe du Sahel nigérien*, Paris, Institut d'ethnologie, 1962.

EKVALL, R. B. *Fields on the Hoof, Nexus on Tibetan Nomadic Pastoralism*, Holt Rinehart and Winston, Washington, 1968, 100 p.

EVANS-PRITCHARD, E. E. *Les Nuer, Description des modes de vie et des institutions politiques d'un peuple nilote*, Oxford University, Press, 1937, traduction française : Gallimard, 1968, 336 p.

GULLIVER, P. H. *The Family Herds*, Londres, Routledge and Kegan Paul, 1955.

LEROI-GOURHAN, A. *La Civilisation du renne*, Paris, Gallimard, 1936, 178 p.

LEWIS, I. M. *A Pastoral Democracy, a Study of Pastoralism and Politics Among the Northern Somali of the Horn of Africa*, International African Institute, Oxford University Press, 1961, 320 p.

Certains autres ouvrages qui traitent des tentes selon le point de vue architectural méritent également d'être soulignés.

COUCHAUX, O. *Constructions nomades*, Alternatives et parallèles, Paris, 1980, 158 p.

FAEGRE, T. *Tents. Architecture of the Nomads*, New York, Anchor Press/Doubleday Garden City, 1979, 167 p.

NABOKOV, P. *Native american architecture*, New York, Oxford University Press, 1989, 431 p.

Quelques très beaux livres d'images…

MALIKI, A. *Nomades Peuls*, Paris, L'Harmattan, 1988, 72 p.

OFFELEN, M. *Nomads of Niger,* New York, H.N. Abrams, 1983, 224 p.

PERRIN, P., GANGÉ, J. C., *Nomades*, Paris, éd. Denoël, collection Planète, 1991, 191 p.

Nomads of the World, Washington, The National Geographic Society, 1971, 199 p.

Nomads of Eurasia, Vladimir N. Basilov (édit.), Washington, University of Washington Press, 1989, 192 p.

Et encore…

BOULANGER, Pierre. *Le Cinéma colonial*, Paris, Segers/Cinéma, 1975, 291 p.

CLAUDOT, H. et Hawad. *Le Sahara des nomades*, exposition « Les déserts de l'homme », Abbaye de Senanque, Gordes, éd. AGEP, 63 p.

SADOU, Georges. *Histoire générale du cinéma*, 1909-1920, Paris, Denoël, 1973-1984, 6 volumes (plus particulièrement le volume 2).

Être nomade aujourd'hui, Musée d'ethnographie, Neuchâtel, Suisse, 1979, 153 p.

Nomades et sédentaires en Asie centrale : Apports de l'archéologie et de l'ethnologie, textes réunis par H.-P. Francfort, Paris, édit. CNRS, 1990, 240 p.

The Kaleidoscopic Lens: How Hollywood Views Ethnic Groups, Randall M. Miller (édit.), Englewood, Jerome S. Ozer, Pub., 1980, 222 p.

Et à voir...

(1921)	*Visages voilés, âmes closes*, Henry Roussel
(1921)	*Nanouk*, R.J. Flaherty
(1927)	*Sous le regard d'Allah*, J.M. Wilson
(1928)	*Shéhérazade*, A. Volkoff
(1929)	*La Pastorale égyptienne*, P. Ichac
(1931)	*La Croix du Sud*, A. Hugon
(1936)	*Son of Mongolia*, I. Trauberg
(1954)	*Bronco Apache*, R. Aldrich
(1962)	*Laurence d'Arabie*, D. Lean
(1974)	*The Ferocious One*, T. Okeyev
(1976)	*Buffalo Bill and the Indians*, R. Altman
(1990)	*Un thé au Sahara*, Bertolucci
(1992)	*Urga*, Nikita Mikhalkov